Y0-BYZ-631

LES MISCELLANÉES DE Mr. SCHOTT

LES MISCELLANÉES DE Mr. SCHOTT

Conception, rédaction & réalisation

BEN SCHOTT

Adaptation & traduction

BORIS DONNÉ

ÉDITIONS ALLIA
16, RUE CHARLEMAGNE, PARIS IVe
2006

L'édition originale de cet ouvrage est parue sous le titre
Schott's Original Miscellany™
aux éditions Bloomsbury, à Londres, en 2002.
Conceived, written, designed & typeset by BEN SCHOTT

www.miscellanies.info

Édition en langue française réalisée par Boris Donné

Une partie des articles rassemblés dans l'édition originale des *Miscellanées* ont trait à la langue anglaise & à ses jeux, ainsi qu'à certains aspects de la vie quotidienne en Grande-Bretagne d'un intérêt limité pour le lecteur français. Certains ont été librement transposés ; d'autres ont été écartés de l'édition française avec l'accord de Mr. Schott et remplacés par des articles encore inédits en volume, ou bien par des articles originaux composés directement en langue française. — B.D.

Septième tirage, revu & corrigé, de l'édition française
Achevé d'imprimer & relié en novembre 2006
sur les presses de LEGOPRINT, à Lavis, en Italie
pour le compte des éditions Allia

Dépôt légal : octobre 2005

ISBN : 2-84485-198-3

L'ISBN *(International Standard Book Number)* est un code composé d'une série de dix chiffres. Il n'est certes pas indispensable qu'un livre publié possède un ISBN, mais l'usage de ce code est largement répandu chez les libraires, les bibliothécaires, les éditeurs & les distributeurs pour le classement de l'ouvrage, les commandes et la gestion des stocks. Les dix chiffres sont divisés en quatre groupes séparés par des tirets ou par des espaces. Le premier groupe identifie la zone géographique ou linguistique dans laquelle se situe l'éditeur ; le second identifie le nom de l'éditeur ; le troisième, le titre de l'ouvrage. Le quatrième n'est qu'une clé de contrôle mathématique de l'ISBN.

LES MISCELLANÉES DE Mr. SCHOTT

Une encyclopédie ? Une anthologie ? Un pot-pourri ? Un amphigouri ?
Un florilège ? Un almanach ? Un compendium ? Un vade-mecum ?

Eh bien oui, *Les Miscellanées de Mr. Schott* sont tout cela. Et bien davantage.

Les Miscellanées de Mr. Schott sont une collection de notations utiles ou futiles. Elles se proposent de recueillir tous ces petits riens emportés dans le flux & le reflux des conversations. *Les Miscellanées de Mr. Schott* n'ont certes pas la prétention de faire autorité, d'être exhaustives ni même pratiques. Elles prétendent néanmoins être indispensables. Sans doute est-il possible de vivre toute sa vie sans *Les Miscellanées de Mr. Schott* : mais cela semble une entreprise bien étrange, et bien téméraire.

> MISCELLANÉES [mis(s)ɛl(l)ane] *subst. fém. plur.* (1578) Recueil d'écrits divers, littéraires ou scientifiques. Mélanges. — *Étym.* Emprunt au lat. *miscellanea*, proprement "choses mêlées", neutre plur. substantivé de l'adj. *miscellaneus* "mêlé, mélangé". [TLF]

ET LE PARDON, DIVIN

Des efforts considérables ont été déployés pour vérifier l'exactitude de tous les renseignements contenus dans ces *Miscellanées.* Malgré tout, ainsi que le notait Alexander Pope, "l'erreur est humaine". En conséquence de quoi, l'auteur décline toute responsabilité si vous jouez une main perdante au poker ; si vous commettez un impair au cours d'un duel ; si vous vous égarez dans le labyrinthe de Hampton Court ; si vous commandez des sushis qui vous dégoûtent ; si vous faites rétrécir toutes vos chaussettes au lavage ; ou si vous prononcez une phrase tout à fait déplacée en suédois.

Nombre de faits mentionnés dans ce livre sont sujets à discussion. Une (faible) part de ces débats et disputes est succinctement présentée p. 153.

Si vous désirez proposer des suggestions[†], des corrections, des précisions, ou encore poser des questions, adressez-les à misc@editionsallia.com ou bien à l'auteur c/o Éditions Allia, 16 rue Charlemagne, 75004 Paris.

[†] L'auteur se réserve le droit de s'approprier ces suggestions pour les utiliser dans une prochaine édition, dans d'autres ouvrages liés ou non à celui-ci, ou à seule fin d'émailler sa conversation.

LES PERSONNES SUIVANTES méritent leur part de blâme :

Jonathan, Judith et Geoffrey Schott.

Clare Algar, Louisa Allen, Stephen Aucutt, Joanna Begent, Paul Binski, Martin Birchall, James Brabazon, John Casey, James Coleman, Martin Colyer, Victoria Cook, Aster Crawshaw, Rosemary Davidson, Jody Davies, Jennifer Epworth, Penny Gillinson, Gaynor Hall, Elinor Hodgson, Julian Hodgson, Miriam Hodgson, Hugo de Klee, Alison Lang, Rachel Law, John Lloyd, Jess Manson, Michael Manson, Susannah McFarlane, Polly Napper, Cally Poplak, Daniel Rosenthal, Tom Rosenthal, Ann Warnford-Davis, et William Webb.

Je leur dois des remerciements pour leurs suggestions, leurs avis, leurs encouragements, leurs opinions expertes, & autres choses de ce genre. S'il subsiste des erreurs criantes dans ce livre, c'est probablement leur faute.

"N'allons pas croire que la vie se vit plus pleinement dans les choses que l'on juge communément grandes que dans celles que l'on juge communément petites."

— VIRGINIA WOOLF

SCORES DE GOLF

Double Bogey	+2	-1	Birdie
Bogey	+1	-2	Eagle
Par	0	-3	Albatross, Double Eagle

IMPÔT SUR LES CHAPEAUX

De 1784 à 1811, le gouvernement britannique a perçu un impôt sur la vente des chapeaux. Le barème allait de 3 pence (pour les chapeaux coûtant moins de 4 shillings) à 2 shillings (pour les chapeaux de plus de 12 shillings). Les marchands de chapeaux se voyaient obligés d'acquérir une patente (2 £ à Londres, 5 shillings dans le reste du royaume) et d'afficher une enseigne les proclamant *Détaillant ès Chapeaux*. Pour veiller à la bonne application de l'impôt, on imprima des timbres de redevance destinés à être collés dans la doublure de chaque chapeau. La fraude à l'impôt sur les chapeaux, qu'elle fût le fait des détaillants ou des clients, était passible d'une amende ; la contrefaçon des timbres de redevance était théoriquement punie de la peine capitale. Pour une raison impénétrable, cet impôt ne s'appliquait qu'aux chapeaux d'hommes. Entre autres impôts similaires prélevés à la même époque : l'impôt sur les gants (1785–1794) ; l'impôt sur les almanachs (1711–1834) ; la taxe sur les dés (1711–1862) ; l'impôt sur la poudre à cheveux (1786–1869) ; l'impôt sur les parfums (1786–1800) ; l'impôt sur le papier peint (1712–1836). Sans doute le plus célèbre des impôts de ce genre est-il l'impôt sur les fenêtres, levé pour la première fois en 1697 afin de compenser les pertes occasionnées par le rognage des pièces de monnaie. À l'origine, presque chaque maison fut imposée à hauteur de 2 shillings ; les demeures comptant 10 à 20 fenêtres payaient 4 shillings ; les propriétés avec plus de fenêtres, 8 shillings. Mais ces montants ne tardèrent pas à s'envoler, si bien que le “rebouchage” devint une pratique courante. Toute fenêtre obstruée de façon permanente avec des matériaux identiques à ceux des murs adjacents était décomptée du total. Des inspecteurs passaient régulièrement recompter les fenêtres apparentes, pour vérifier qu'aucune fenêtre condamnée ne s'était subrepticement “rouverte”. Au fil du temps, cet impôt devint de plus en plus impopulaire : c'est qu'il était de plus en plus injuste, privant nombre d'habitants (notamment ceux qui vivaient dans des zones déjà défavorisées) de la simple lumière du jour. L'impôt fut aboli en 1851.

CARACTÉRISTIQUES DU VIVANT

Mouvement · Respiration · Excitabilité · Croissance
Reproduction · Nutrition · Excrétion

CONVERSION DES TEMPÉRATURES

Convertir les ° Celsius en ° Fahrenheit... multiplier par 1,8 et ajouter 32
Convertir les ° Fahrenheit en ° Celsius.... soustraire 32 et diviser par 1,8

Repères : températures (approximativement) réversibles
16 ° Celsius = 61 ° Fahrenheit
28 ° Celsius = 82 ° Fahrenheit

ÉCHELLE DE SCOVILLE

En 1912, Wilbur Scoville inventa une méthode pour comparer le degré de piquant des piments (*J. Am. Pharm. Assoc.*, 1912, n° 1, p. 453–454). Plus le nombre d'unités de Scoville est élevé, plus un piment est fort. Exemples :

poivron, piment doux	0 *unités de Scoville (SU)*
pepperoncini, piment-cerise	100–500
piment du Nouveau Mexique, aji Panca	500–1 000
Ancho, Passila, piment d'Espelette	1 000–1 500
Sandia, Rocotillo, Cubanelle, Poblano	1 500–2 500
chile Jalapeño, piment safran du Mexique	2 500–5 000
Chilcostle, Louisiana Hot	5 000–10 000
chile de arbol, Serrano, Japones	10 000–30 000
Piquin, piment de Cayenne *ou* pili-pili, Tabasco	30 000–50 000
piment oiseau, chile Tepin	50 000–80 000
piment lampion *ou* antillais, piment bonnet jaune	80 000–300 000
capsaïcine pure	16 000 000

(Indications approximatives, le piquant d'un piment pouvant varier d'un fruit à l'autre)

LONGUEURS DE LACETS

Paires de trous	*longueur (cm)*
2	45
3	45 *ou* 60
4	60
5	75
6	90 *ou* 110
8	150
9	180

LE DRAPEAU DE LA GUADELOUPE

Le drapeau est divisé en cinq bandes horizontales : de haut en bas, une étroite bande verte, une fine bande blanche, une large bande rouge, une fine bande blanche, une étroite bande verte. Une étoile d'or à cinq branches est inscrite au milieu de la bande rouge côté guindant. Pour les célébrations et les cérémonies officielles, c'est le drapeau français qui est hissé.

PRÉSIDENTS DES ÉTATS-UNIS

George Washington[§]	1789–1797[F]
John Adams[4,H]	1797–1801[F]
Thomas Jefferson[§,4]	1801–1809[DR]
James Madison	1809–1817[DR]
James Monroe[4]	1817–1825[DR]
John Q. Adams[H]	1825–1829[DR]
Andrew Jackson	1829–1837[D]
Martin Van Buren	1837–1841[D]
William Harrison	1841–1841[W]
John Tyler[M]	1841–1845[W]
James Knox Polk	1845–1849[D]
Zachary Taylor	1849–1850[W]
Millard Fillmore	1850–1853[W]
Franklin Pierce	1853–1857[D]
James Buchanan[C]	1857–1861[D]
Abraham Lincoln[§,†,B]	1861–1865[R]
Andrew Johnson	1865–1869[D]
Ulysses S. Grant[B]	1869–1877[R]
Rutherford Hayes[B,H]	1877–1881[R]
James Garfield[†,B,G]	1881–1881[R]
Chester Arthur	1881–1885[R]
Grover Cleveland[M]	1885–1889[D]
Benjamin Harrison[B]	1889–1893[R]
Grover Cleveland	1893–1897[D]
William McKinley[†]	1897–1901[R]
Theodore Roosevelt[§,H,P]	1901–1909[R]
William Taft	1909–1913[R]
Woodrow Wilson[P,M]	1913–1921[D]
Warren Harding	1921–1923[R]
Calvin Coolidge	1923–1929[R]
Herbert Hoover[Q]	1929–1933[R]
Franklin Roosevelt[H]	1933–1945[D]
Harry S. Truman[G]	1945–1953[D]
Dwight Eisenhower	1953–1961[R]
John F. Kennedy[†,H,♊]	1961–1963[D]
Lyndon Johnson	1963–1969[D]
Richard Nixon[Q]	1969–1974[R]
Gerald Ford[G]	1974–1977[R]
James Carter[P]	1977–1981[D]
Ronald Reagan	1981–1989[R]
George Bush[♊,G]	1989–1993[R]
William Clinton[G]	1993–2001[D]
George W. Bush[H]	2001–[R]

Légende : [F]édéral · [D]émocrate · [W]hig · [R]épublicain · mort un [4] Juillet · [B]arbu
[§] sculpté sur le Mont Rushmore · [C]élibataire · ancien de [H]arvard
[♊] gémeaux · [Q]uaker · [P]rix Nobel de la Paix · [M]arié en fonction · [G]aucher
[†]Assassinés : LINCOLN *John Wilkes Booth* · GARFIELD *Charles J Guiteau*
McKINLEY *Leon Czolgosz* · KENNEDY *Lee Harvey Oswald (?)*

HORSE-POWER

Unité inventée par James Watt (1736–1819), le horse-power correspond à la puissance requise pour faire monter 550 livres d'une hauteur d'un pied en une seconde, soit 33 000 livres-pieds/minute. 1 hp = 745,7 watts.

FORMULETTES

Am stram gram
Pic & pic & colégram
Bour & bour & ratatam
Am stram gram

Pomme de reinette & pomme d'api
Petit tapis rouge
Pomme de reinette & pomme d'api
Petit tapis gris

MALADIES À DÉCLARATION OBLIGATOIRE

En France, la loi fait obligation aux médecins de déclarer tous les cas des maladies suivantes :

Botulisme · Brucellose · Charbon · Choléra · Diphtérie · Fièvres hémorragiques · Fièvre jaune · Fièvre typhoïde & fièvres paratyphoïdes Hépatite B · Infection par le V.I.H. · Légionellose · Listériose Méningite cérébrospinale à méningocoque & méningococcémies Paludisme autochtone · Peste · Poliomyélite antérieure aiguë · Rage Saturnisme de l'enfant mineur · Suspicion de maladie de Creutzfeldt-Jacob & autres encéphalopathies subaiguës spongiformes · Tétanos Toxi-infections alimentaires collectives · Tuberculose Tularémie · Typhus exanthématique · Variole

[décret n° 86–770 du 10 juin 1986, modifié par les décrets n° 96–838 du 19 septembre 1996 & n° 98–169 du 13 mars 1998]

LIGNE MASON-DIXON

Aux États-Unis, la ligne Mason-Dixon trace la frontière sud entre la Pennsylvanie et le Maryland. Elle a été située à environ 39° 42' 26" de latitude nord par les deux géomètres britanniques qui ont délimité les frontières de ces États entre 1773 et 1777, Charles Mason & Jeremiah Dixon. Avant la Guerre de Sécession, la ligne Mason-Dixon marquait la séparation entre les États esclavagistes du Sud et les États abolitionnistes du Nord. Dans l'usage courant, elle représente aujourd'hui la démarcation informelle entre le Nord et le Sud des États-Unis. D'un point de vue étymologique, c'est problablement de son nom que dérivent les termes "Dixie" et "Dixieland", que l'on utilise pour désigner les États du Sud.

COLLECTIONS & COLLECTIONNEURS

monnaies .... *numismate*
papillons........... *lépidoptérophile*
boutons.............. *fibulanomiste*
coquillages............ *conchyliophile*
bagues de cigare .... *vitolphiliste*
fèves de galette des rois ... *fabophile*
timbres.................. *philatéliste*
plumes & stylos .... *calamophile*
boîtes d'allumettes..... *philuméniste*
dés à coudre........ *digitabuphiliste*
écussons................ *scutelliphile*
ours en peluche .... *arctophile*
trains miniatures....... *ferrovipathe*
décorations............... *phalériste*
drapeaux................ *vexillophile*
appareils photo ... *iconomécanophile*
moulins à café .... *molafabophile*
étiquettes de vin .... *éthylabélophile*
livres rares.............. *bibliophile*
livres de toutes sortes ... *bibliomane*

QUELQUES CHEVAUX CÉLÈBRES

LAMRI	le Roi Arthur	GRINGALET	Gauvain
BLACKIE	Sitting Bull	VIC	Lt.-Col. Custer
MAGNOLIA	George Washington	KANTAKA	Bouddha
PHALLUS	Héraclius	FUBUKI	Empereur Hirohito
BAYARD	les Quatre Fils Aymon	JOLLY JUMPER	Lucky Luke
ROSSINANTE	Don Quichotte	INCITATUS‡	Caligula
ARION	Hercule	HAIZUM	l'Archange Gabriel
MARENGO†	Napoléon	SHADOWFAX (GRIPOIL)	Gandalf
HIPPOCAMPE	Neptune	BUCÉPHALE	Alexandre le Grand
BAVIECA	le Cid Campeador	DUKE	John Wayne

† *Marengo fut capturé par les Anglais. Il survécut huit ans à Napoléon ; son squelette est toujours conservé à Londres, au Musée National de l'Armée. Une tabatière a été confectionnée avec un de ses sabots.* ‡ *Incitatus fut élevé par Caligula à la dignité de consul romain.*

NOUER UN NŒUD PAPILLON

CERTAINE ENCYCLOPÉDIE CHINOISE

L'une des plus curieuses listes qui soit, qui pourrait bien n'être qu'une subtile mystification littéraire, a été citée (et peut-être inventée) par Jorge Luis Borges. Dans un essai rendu célèbre par Michel Foucault, Borges prétend que le sinologue allemand Franz Kuhn aurait découvert "certaine encyclopédie chinoise" intitulée *Le Marché céleste des connaissances bénévoles*, selon laquelle tous les animaux peuvent être classés ainsi :

[a] appartenant à l'Empereur · [b] embaumés · [c] apprivoisés
[d] cochons de lait · [e] sirènes · [f] fabuleux
[g] chiens en liberté · [h] inclus dans la présente classification
[i] qui s'agitent comme des fous · [j] innombrables
[k] dessinés avec un très fin pinceau de poils de chameau
[l] *et cætera* · [m] qui viennent de casser la cruche
[n] qui de loin semblent des mouches.

JURÉS D'ASSISES

En France, en vertu de l'article 255 du Code de procédure pénale, peuvent être appelés à siéger dans un jury de cour d'assises tous les citoyens de l'un ou l'autre sexe, âgés de plus de 23 ans, sachant lire et écrire en français, jouissant de leurs droits politiques, civils et de famille – à moins qu'ils ne se trouvent dans un des cas d'incompatibilité, d'incapacité ou de dispense précisés dans les articles 256, 257 & 258 :

CAS D'INCOMPATIBILITÉ

1° membre du Gouvernement, du Parlement, du Conseil constitutionnel, du Conseil supérieur de la magistrature, du Conseil économique et social ;

2° membre du Conseil d'État ou de la Cour des comptes, magistrat, prud'homme ;

3° secrétaire général du Gouvernement ou d'un ministère, directeur d'un ministère, membre du corps préfectoral ;

4° fonctionnaire des services de police, ou de l'administration pénitentiaire ou militaire, en activité de service.

CAS D'INCAPACITÉ

1° toute personne condamnée à une peine d'emprisonnement supérieure ou égale à 6 mois ;

2° toute personne en état d'accusation ou de contumace, sous mandat de dépôt ou d'arrêt ;

3° fonctionnaire ou agent de l'État révoqué ;

4° officier ministériel destitué, membre d'un ordre professionnel frappé d'une interdiction définitive d'exercer ;

5° toute personne placée en état de faillite ;

6° tout majeur sous sauvegarde de justice, en tutelle, en curatelle, ou placé dans un établissement d'aliénés.

CAS DE DISPENSE

1° toute personne de plus de 70 ans ;

2° toute personne n'ayant pas sa résidence principale dans le département où siège la cour d'assises.

Sont en outre écartées des listes de tirage au sort des jurés d'assises les personnes ayant déjà rempli les fonctions de juré dans les 5 dernières années.

ÂGE DES ANIMAUX

Si l'on en croit la légende celtique,

trois fois l'âge d'un chien, c'est l'âge d'un cheval ;
trois fois l'âge d'un cheval, c'est l'âge d'un homme ;
trois fois l'âge d'un homme, c'est l'âge d'un cerf ;
trois fois l'âge d'un cerf, c'est l'âge d'un aigle.

LES MARIS DE LIZ TAYLOR

Elizabeth Taylor (1932–) s'est mariée huit fois et a eu sept maris différents :

Nicky Hilton.............. 1950–51
Michael Wilding.......... 1952–57
Michael Todd............. 1957–58
Eddie Fisher.............. 1959–64
Richard Burton .. 1964–74, 1975–76
John Warner 1976–82
Larry Fortensky........... 1991–96
[Dernière mise à jour : mars 2006]

BIKINI, DEFCON & VIGIPIRATE

BIKINI est le nom de code utilisé par les forces armées britanniques à travers le monde pour évaluer le niveau de la menace terroriste. Les ÉTATS D'ALERTE BIKINI sont les suivants, par degré croissant de menace :

BLANC · NOIR · NOIR SPÉCIAL · AMBRE · ROUGE

Ces états d'alerte sont généralement activés à un niveau local et indiquent le risque terroriste tel qu'il est perçu en un lieu ou une région spécifique.

Aux États-Unis, le gouvernement met en œuvre une série de "situations progressives d'alerte" qui indiquent son degré de préparation à un conflit : les "conditions de défense" (DEFCON), elles-mêmes intégrées dans un système plus étendu de "conditions d'alerte" et de "conditions d'urgence" (ALERTCON & EMERGCON). Elles s'échelonnent de 5 (préparation normale, en temps de paix) à 1 (activation maximum des forces armées). Bien que le niveau d'alerte DEFCON soit une information confidentielle, certaines sources affirment qu'au moment le plus tendu de la crise des missiles de Cuba, en 1962, l'armée américaine était placée en DEFCON 2.

En France, depuis 1978, le dispositif de sécurité destiné à prévenir les menaces ou à réagir face aux actions terroristes se nomme le PLAN VIGIPIRATE. Il est gradué en quatre niveaux d'alerte, par degré croissant :

JAUNE · ORANGE · ROUGE · ÉCARLATE

CARACTÉRISTIQUES DE LA TERRE

rayon à l'équateur .... 6 378,1 km
rayon au pôle......... 6 356,8 km
volume... 1 080 000 000 000 km^3
masse .... 5,974 x 10^{27} g
âge ..... *ca.* 4 500 000 000 années
gravité en surface....... 980 cm/s^2
vitesse de libération ... 11,18 km/s
année planétaire.... 365,256 jours
température du cœur. 4500ºC (est.)
ratio terre/mer..... 29%:71% (est.)

SUMÔ

Les combats de *sumô* se déroulent sur une arène circulaire, le *dohyô* ; ils sont dirigés par un arbitre, le *gyôji,* assisté d'un jury de cinq membres. Comme tous les arts martiaux japonais, le *sumô* possède un rituel et des règles de courtoisie parfaitement codifiés. Les deux lutteurs ne sont vêtus que d'un *mawashi*, une bande de tissu serrée de 40 cm de large, enroulée plusieurs fois autour des reins en une série de mouvements bien précis. Chaque combat s'ouvre sur un cérémonial complexe : échauffements, saluts, rites de purification, position d'attente. Enfin c'est le *tachi-ai* : les lutteurs s'élancent l'un contre l'autre. L'un des lutteurs perd lorsque n'importe quelle partie de son corps autre que la plante des pieds touche le sol ; lorsqu'il est forcé de sortir du *dohyô* ; ou lorsqu'il accomplit un *kinjite*, une prise ou un coup interdit. Il est notamment interdit de frapper avec le poing fermé, de donner des coups de pied, de mordre et de tirer les cheveux. Afin de pouvoir prétendre à une reconnaissance comme sport olympique, le *sumô* tend à adopter les catégories suivantes :

[♂]		[♀]
[♂] <85 kg	POIDS LÉGER	<65 kg [♀]
[♂] <115 kg	POIDS MOYEN	<80 kg [♀]
[♂] >115 kg	POIDS LOURD	>80 kg [♀]
[♂] pas de limite	CATÉGORIE OUVERTE	pas de limite [♀]

QUINTE MAJEURE D'OSCARS

À ce jour, trois films seulement ont remporté les cinq Oscars suprêmes – Meilleurs Film, Réalisateur, Acteur, Actrice, & Scénario. *The winners are :*

ANNÉE	FILM	RÉALISATEUR
1934	*New York-Miami [It Happened One Night]*	Frank Capra
1975	*Vol au-dessus d'un nid de coucou*	Milos Forman
1991	*Le Silence des agneaux*	Jonathan Demme

VIRELANGUES

Je veux et j'exige d'exquises excuses · Brosse la bâche, baisse la broche
Trois petites truites cuites, trois petites truites crues
Je cherche ces chiots chez Sancho, je cherche ces chats chez Sacha
Didon dîna, dit-on, du dos d'un dodu dindon
Papier, panier, piano · Gros gras grand grain d'orge,
quand te dé-gros-gras-grand-grain-d'orgeriseras-tu ?
La pipe au papa du Pape Pie pue† · Le loup lippu lut l'Oulipo

† *Attribué à Jacques Prévert*

LIGNE PLIMSOLL

La ligne de charge "Plimsoll" doit son nom à un politicien anglais, Samuel Plimsoll (1824–1898), qui fit campagne afin que fût instituée une limite de sécurité pour le chargement des navires. Il obtint gain de cause, ce qui mit fin à une fraude aux assurances pratiquée par certains armateurs qui envoyaient en mer des "navires-cercueils" surchargés dans l'espoir de les voir couler et de toucher la prime. Une convention internationale définit aujourd'hui les indications peintes sur le bord de chaque navire :

TF Ligne de charge tropicale en eau douce
F Ligne de charge d'été en eau douce
T Ligne de charge tropicale
S Ligne de charge d'été
W Ligne de charge d'hiver
WNA Ligne de charge d'hiver dans l'Atlantique Nord

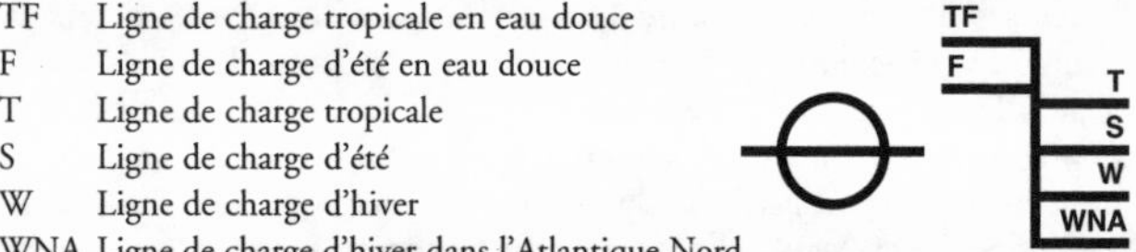

[Il existe d'autres schémas pour les convois de bois, les navires croisant sur les Grands Lacs américains, etc.]

LIGNES DU MÉTRO DE LONDRES

Ligne	*Longueur*	*Ouverture*	*Station principale*	*Couleur*	*Stations*
Bakerloo	23,2 *km*	1906	Oxford Circus	marron	25
Central	74	1900	Oxford Circus	rouge	49
Circle	22,5	1863–65	Victoria	jaune	27
District	64	1868	Victoria	vert	60
East London	8	1843–63	Canada Water	orange	9
Hammersmith	26,5	1863–64	King's Cross	rose	28
Jubilee†	36,2	1880‡	Bond Street	argent	27
Metropolitan	66,7	1868	Baker Street	bordeaux	34
Northern	58	1890	Leicester Square	noir	51
Piccadilly	71	1906	Piccadilly Circus	bleu marine	52
Victoria	21	1968	Victoria	bleu clair	16
Waterloo & City	2,4	1898	—	cyan	2

† *La seule ligne interconnectée avec toutes les autres lignes.* ‡ *Inaugurée en 1979.*

LES APÔTRES

Simon (Pierre) · André · Jacques (le Majeur) · Jacques (le Mineur ou le Juste)
Jean · Philippe · Barthélemy · Thomas (Didyme) · Matthieu
Jude Thaddée · Simon le Zélote · Judas Iscariote · Matthias

JAMES BOND 007 : LES FILMS

TITRE DU FILM	007	ANNÉE	MÉCHANT	JAMES BOND GIRL	VOITURE
James Bond contre Dr. No	SC	62	Dr. No	Ursula Andress · *Honey Ryder*	Sunbeam Alpine
Bons Baisers de Russie	SC	63	Red Grant	Daniela Bianchi · *Tatiana Romanova*	Bentley Mark IV
Goldfinger	SC	64	Goldfinger	Honor Blackman · *Pussy Galore*	Aston Martin DB5
Opération Tonnerre	SC	65	Emilio Largo	Claudine Auger · *Domino*	Aston Martin DB5
On ne vit que deux fois	SC	67	Blofeld	Akiko Wakabayashi · *Aki*	Toyota 2000 GT
Au Service secret de Sa Majesté	GL	69	Blofeld	Diana Rigg · *Tracy Vicenzo*	Aston Martin DBS
Les Diamants sont éternels	SC	71	Blofeld	Jill St John · *Tiffany Case*	Moon Buggy
Vivre et laisser mourir	RM	73	Dr. Kananga	Jane Seymour · *Solitaire*	Double Decker
L'Homme au pistolet d'or	RM	74	Scaramanga	Britt Ekland · *Mary Goodnight*	AMC Hornet
L'Espion qui m'aimait	RM	77	Karl Stromberg	Barbara Bach · *Anya Amasova*	Lotus Esprit
Moonraker	RM	79	Hugo Drax	Lois Chiles · *Dr Holly Goodhead*	Gondola
Rien que pour vos yeux	RM	81	Kristatos	Carole Bouquet · *Melina Havelock*	Citroën 2CV
Octopussy	RM	83	Kamal Kahn	Maud Adams · *Octopussy*	Mercedes 250SE
Dangereusement vôtre	RM	85	Max Zorin	Tanya Roberts · *Stacey Sutton*	Renault 11
Tuer n'est pas jouer	TD	87	Koskov	Maryam D'Abo · *Kara Milovy*	Aston Martin Volante
Permis de tuer	TD	89	Franz Sanchez	Carey Lowell · *Pam Bouvier*	Kentworth Tanker
GoldenEye	PB	95	Alec Trevelyan	Izabell Scorupco · *Natalya Simonova*	BMW Z3
Demain ne meurt jamais	PB	97	Elliott Carver	Michelle Yeoh · *Wai Lin*	BMW 750iL
Le Monde ne suffit pas	PB	99	Renard	Denise Richards · *Christmas Jones*	BMW Z8
Meurs un autre jour	PB	02	Zao	Halle Berry · *Jinx*	Aston Martin V12 Vanquish

[007 : SC – Sean Connery · GL – George Lazenby · RM – Roger Moore · TD – Timothy Dalton · PB – Pierce Brosnan]

CRÉOLE DE LA MARTINIQUE

ami.......... zanmi, konpè, padna
amie.............. makôkôt, zanmi
arbre........................ piébwa
aujourd'hui .... jòdi
blagueur.................... badjolè
bouche bée .... èstébékwé
bourdon................... vonvon
buveur............ tafiatè, wonmyé
cache-cache............... zwèlséré
caresse............ karès, miyonnaj
cauchemar.................. vyérèv
champion................... mapipi
chauve .... youl, tèt-kokosèk
chéri .... doudou
démangeaison .... gratel
démolir.......... dékalé, dépotjolé
désordre .... bodobo, voukoum
dragueur........................ zayé
écrevisse .... kribich, zabitan
embrouille............ bankoulélé
enfant .... timoun
à égalité .... bita-bita
et cætera................ kisasayésa
filiforme................ mègzoklèt
fou .... dèkdèk, toktok
frêle .... fiankan, flègèdek
goinfre.................... agoulou
grossier .... gwosomodo
il y a longtemps .... nanni nannan
lâche....................... kapon
laideron.................... tètzoto
libellule................... zing-zing
lit.......................... kabann
luciole .... klendenden
lymphatique .... môlpi
mensonge ...... mantri, mantézon
miette .... chiktay
myope....................... zyé-koki
nénuphar .... chapo-dlo
non .... awa
un peu .... ti bren
peut-être.......... pitèt, nè, mèyè
piège.......................... zatrap
pincement .... pichon
pouce............. pous, gwodwèt
préservatif............ fokal, chapo
prison.......................... lajôl
prostituée.......... manawa, bôbô
querelle................ tren, ladjè
raccourci........ chimen-dékoupé
rebuffade................ bok, bouf
rhum .... wonm, tafia
sieste .... bas-tet, kanm, lasies
sorcellerie................ tjenbwa
stupéfait..................... ababa
supplication.......... tanprisouplé
suppositoire......... bonbon-la-fès
tacot....................... bradjak
travailler .... woulé
versatile............. palayi-palaya

CLASSIFICATION DE LA TAILLE DES ICEBERGS

HAUTEUR *(émergée, en mètres)*	NOM	LONGUEUR *(en mètres)*
<1	BOURGUIGNON (GROWLER)	<5
1–4	FRAGMENT D'ICEBERG (BERGY BIT)	5–14
5–15	PETIT	15–60
16–45	MOYEN	61–120
46–75	GRAND	121–200
>75	TRÈS GRAND	>200

[En général, la partie émergée représente entre 1/5e et 1/7e de la taille totale de l'iceberg.]

AROBASE

@ Certains présentent ce signe comme une ligature contractant la préposition latine *ad* : on n'en trouve pas trace dans les manuscrits médiévaux ni dans les premiers imprimés, mais il pourrait s'agir d'un ornement calligraphique utilisé autrefois dans les courriers diplomatiques. D'autres prétendent qu'il aurait été inventé au XVIIe siècle par les commerçants espagnols pour abréger la mention *arrobas*, ou arrobe (unité de poids équivalant à 12,78 kg). Il semble en fait que l'usage de l'arobase se soit généralisé au XIXe siècle aux États-Unis, comme une fioriture autour du mot *at* dans les indications de prix ; d'où son nom américain de *a commercial* et sa présence sur les claviers de machine à écrire. Le nom français de l'arobase, dont l'orthographe est incertaine, dérive sans doute de l'*arrobas* espagnole ; à moins qu'il ne soit une contraction de la dénomination typographique “a rond bas-de-casse”. — C'est en 1972 que Ray Tomlinson, l'inventeur du courrier électronique, a eu l'idée d'utiliser ce signe ne figurant dans aucun nom propre pour séparer nettement dans le libellé de l'adresse le nom du destinataire de celui de la machine hébergeant sa messagerie.

PLURIEL DES NOMS COMPOSÉS

des à-coups
des allers-retours
des appuie-tête
des après-midi
des a priori
des arcs-boutants
des arcs-en-ciel
des arrière-boutiques
des avant-scènes
des ayants droit
des bains-marie
des basses-cours
des chefs-d'œuvre
des chefs-lieux
des chênes-lièges
des chevau-légers
des clairs-obscurs
des clins d'œil
des coffres-forts
des coq-à-l'âne
des coups d'œil
des crocs-en-jambe

des croque-monsieur
des demi-bouteilles
des eaux-de-vie
des en-têtes
des états-majors
des ex-voto
des fac-similés
des fiers-à-bras
des fric-frac
des grands-mères
des guets-apens
des haut-parleurs
des in-folio
des laissez-passer
des lieux-dits
des loups-garous
des non-lieux
des œils-de-bœuf
des oiseaux-mouches
des on-dit
des orangs-outangs
des passe-partout

des pense-bête
des pin-up
des pinces-monseigneur
des pince-sans-rire
des porcs-épics
des post-scriptum
des pot-au-feu
des pots-de-vin
des pousse-pousse
des pur-sang
des saintes nitouches
des sans-culottes
des sans-gêne
des sauf-conduits
des sourds-muets
des soutiens-gorge
des terre-pleins
des tête-à-tête
des tic-tac
des timbres-poste
des trompe-l'œil
des volte-face

Dr. JOHNSON

Samuel Johnson (1709–1784) fut une figure majeure de la vie littéraire de son temps : tout à la fois lexicographe, dramaturge, romancier, critique, poète et éditeur, il brilla aussi dans l'art de la conversation avec une maestria que son ami et biographe James Boswell a fait passer à la postérité dans sa *Vie de Samuel Johnson* (1791). Les propos du Dr. Johnson qui y sont rapportés témoignent de sa maîtrise accomplie de la langue anglaise, en même temps que de son exceptionnelle compréhension de la nature humaine.

LE TRAVAIL & L'ARGENT

Il n'y a que les imbéciles pour écrire, à part pour de l'argent.

Des fautes et des défauts, il y en a nécessairement en toute œuvre humaine.

Peu importe ce que vous avez : dépensez moins.

Ce que nous ambitionnons de faire un jour avec facilité, il nous faut d'abord apprendre à le faire avec application.

Tout de même que la paix est la fin de la guerre, le désœuvrement est le but ultime de l'activité.

Ceux qui atteignent l'excellence en quoi que ce soit attachent d'ordinaire toute leur vie à un seul objet ; on parvient rarement à l'excellence à moindres frais.

Si on fait le calcul, c'est étonnant comme on se sert peu de son intelligence dans aucune profession.

Tous les progrès de l'intellect sont le fruit du loisir.

Le véritable art de la mémoire, c'est l'art de l'attention.

LANGUE & LITTÉRATURE

Dans toute maxime il faut sacrifier un peu la justesse à la concision.

Un exemple est toujours bien plus efficace qu'un précepte.

Relisez ce que vous écrivez, et à chaque fois que vous tombez sur un passage qui vous semble particulièrement réussi, biffez-le.

Toute citation contribue peu ou prou à fixer la langue ou bien à l'étendre.

Il en va des dictionnaires ainsi que des montres : le pire vaut mieux que rien, et l'on ne peut attendre du meilleur qu'il soit tout à fait juste.

Comme c'est étrange que l'on écrive tant et que l'on lise si peu.

À BOIRE & À MANGER

Le vin de Bordeaux est bon pour les jeunes gens, le porto pour les hommes faits ; mais celui qui aspire à devenir un héros, il doit boire du brandy.

Le concombre est un légume qu'il faut bien émincer, assaisonner avec du poivre et du vinaigre, puis jeter aussitôt, car il ne vaut rien du tout.

Dr. JOHNSON (suite)

SHAKESPEARE

[Shakespeare] sacrifie la vertu à l'agrément : il s'applique tellement plus à plaire qu'à instruire, que l'on dirait qu'il écrit sans aucune visée morale.

L'AMITIÉ

Un homme qui ne se fait pas de nouveaux amis au fur et à mesure qu'il avance dans la vie se trouvera vite esseulé. Il faut sans cesse entretenir ses amitiés.

Accordez toujours beaucoup de prix à la gentillesse spontanée.

Laisser l'amitié s'éteindre par la négligence et le silence est certes bien malavisé : c'est délibérément jeter au rebut l'un de nos plus grands réconforts dans le fastidieux voyage de la vie.

La distance a le même effet sur l'esprit que sur la vue.

Plus longtemps nous vivons et plus nous attachons de prix à l'amitié et à l'affection pour les parents et les amis.

Comme il y a peu d'amis chez qui l'on voudrait loger quand on est malade !

LA NATURE HUMAINE

Presque tous les hommes perdent une part de leur vie à essayer de faire preuve de qualités qu'ils n'ont pas.

Quiconque songe à aller au lit avant minuit est un fripon.

Rien ne plaît au grand nombre, ni ne plaît longtemps, que la juste représentation de la nature humaine.

Toute envie s'éteindrait s'il était universellement reconnu qu'il n'y a personne que l'on puisse envier.

Nous sommes tous animés par les mêmes motifs et trompés par les mêmes illusions, nous sommes tous aiguillonnés par l'espoir, arrêtés par le danger, asservis par le désir et dévoyés par le plaisir.

Peu importe quelle mort fait un homme : ce qui importe, c'est comment il a vécu. Le passage de vie à trépas est de peu d'importance, il dure si peu de temps.

Il avait inventé une façon nouvelle d'être ennuyeux : c'est pour cela qu'il a passé pour grand auprès de tant de gens.

LONDRES

Monsieur, si vous voulez vous faire une idée juste de l'importance de cette ville, ne vous contentez pas d'admirer ses avenues et ses places : attachez-vous à ses innombrables ruelles et petites cours. Ce n'est pas dans l'ostentation de ses grands bâtiments, c'est en cette multitude d'habitations entassées les unes contre les autres que consiste l'immensité de Londres.

Quand un homme est lassé de Londres, il est lassé de la vie ; car il y a à Londres tout ce que la vie peut offrir.

PAYS OÙ LE VOTE EST OBLIGATOIRE

Argentine · Australie · Autriche · Belgique · Bolivie · Brésil · Chili
Congo · Chypre · Costa Rica · Rép. Dominicaine · Équateur · Égypte
Îles Fidji · Grèce · Honduras · Liban · Libye · Liechtenstein · Luxembourg
Madagascar · Mexique · Nauru · Panama · Paraguay · Philippines
El Salvador · Singapour · Thaïlande · Turquie · Uruguay · Venezuela

TRANSPORTS DE MATIÈRES DANGEREUSES

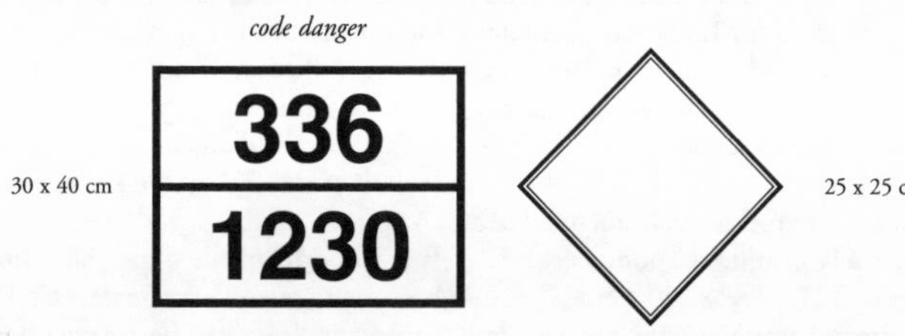

En France, la règlementation impose une signalisation spécifique pour les transports de matières dangereuses (TMD). Cette signalisation, qui s'applique à tous les moyens de transport (véhicules routiers, wagons & conteneurs) se compose de deux éléments : la *plaque-étiquette de danger*, en forme de losange, avec un pictogramme identifiant le principal danger présenté par la matière transportée ; une plaque orange réfléchissante indiquant dans sa partie inférieure le *code matière*, un numéro à 4 chiffres conforme à la nomenclature de l'ONU, et dans sa partie supérieure le *code danger*, un numéro à 2 ou 3 chiffres qui doit se lire comme suit :

1	Matière explosive
2	Gaz comprimé (risque d'émanation)
3	Liquide inflammable
4	Solide inflammable
5	Matière comburante Peroxydes organiques
6	Matières toxiques Matières infectieuses
7	Matières radioactives
8	Matières corrosives
9	Danger de réaction violente spontanée

– le premier chiffre indique le danger principal *(cf. tableau ci-contre)* ;
– les deuxième & troisième chiffres indiquent les dangers secondaires.
S'il n'y a pas de danger secondaire, le premier chiffre est complété par un 0 ; le redoublement d'un chiffre indique une intensification du danger. Dans l'exemple ci-dessus, le code 336 signale ainsi un liquide très inflammable et toxique.
Le code danger peut enfin être précédé d'un X qui signifie que la matière réagit dangereusement au contact de l'eau.

AMENDEMENTS À LA CONSTITUTION DES ÉTATS-UNIS

1er .... Liberté de religion, liberté de parole, liberté de la presse, liberté de s'assembler (paisiblement) et de pétitionner
2e. .... Droit de détenir et de porter des armes
8e. .... Interdiction des châtiments cruels ou exceptionnels
13e. .... Abolition de l'esclavage
15e Droit de vote sans distinction de race, couleur ou servitude antérieure
19e .... Droit de vote accordé aux femmes
21e. .... Abrogation de la prohibition de l'alcool (18e amendement)
22e .... Limitation de la fonction présidentielle à deux mandats
26e. .... Droit de vote à 18 ans
27e . Report après les élections de toute augmentation des parlementaires

COMPATIBILITÉ DES GROUPES SANGUINS

Receveur	*Plasma*	*Sang total*	*Globules rouges*
O+	tout O ; A B ou AB	O+, O-	O+, O-
O-	tout O ; A B ou AB	O-	O-
A+	tout A ou AB	A+, A-	tout A+; A-; O+, O-
A-	tout A ou AB	A-	tout A- ou O-
B+	tout B ou AB	tout B+ ou B-	tout B+; B-; O+ ou O-
B-	tout B ou AB	B-	tout B- ou O-
AB+	tout AB	tout AB+ ou AB-	tout AB+ ; AB- A+, A-, B+, B-, O+, O-
AB-	AB	AB-	tout AB- ; A- B-, ou O-

Ce tableau ne doit pas être pris comme référence : des anomalies existent, et en cas d'incompatibilité les transfusions peuvent avoir des conséquences mortelles.

TERMINOLOGIE MEURTRIÈRE

type de meurtre	*victime*
homicide	être humain
génocide	groupe ethnique
suicide	soi-même
altruicide	autrui
parricide	père *ou* parent proche
matricide	mère
fratricide	frère *ou* sœur
sororicide	sœur
infanticide	enfant
uxoricide	épouse *ou* époux
encise	femme enceinte & enfant
régicide	roi
tyrannicide	tyran
vaticide	prophète
déicide	Dieu

STYLES CLASSIQUES DE COLONNES

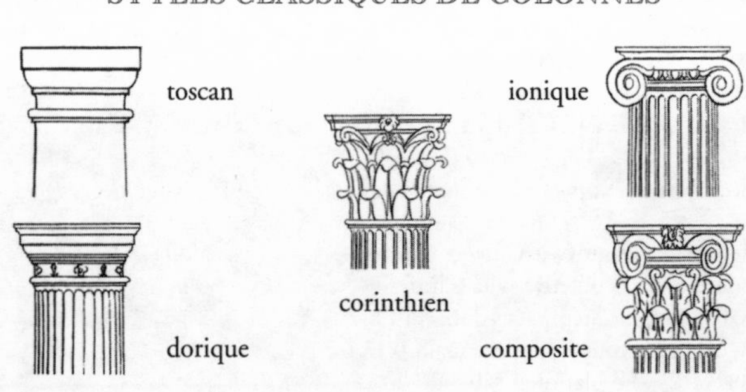

LOCUTIONS & MOTS ESPAGNOLS

A caballo......à cheval
Aficionado......amateur fervent
Amigo......ami
A vuestra salud !......à votre santé !
Barba a barba......face à face [barbe contre barbe]
Caballero......cavalier ; un gentilhomme ou un chevalier
Desperado......hors-la-loi n'ayant plus rien à perdre
En casa......à la maison
Gringo......étranger (souvent péjoratif)
Hacienda......vaste domaine ou plantation
Hasta la vista......à plus tard
Hasta mañana......à demain
Lo pasado, pasado......"le passé est le passé"
Picaro......aventurier, intrigant
Que sera sera......"ce qui doit arriver arrivera"
Salud y pesetas......"santé & fortune"
Siglo de oro......siècle d'or ; en Espagne le XVIe siècle & le début du XVIIe

CLUBS LONDONIENS

fondation	*club*	*membres*
1693	White's, 37 St James's Street, SW1	♂
1762	Boodle's, 28 St James's Street, SW1	♂
1764	Brooks's, St James's Street, SW1	♂
1775	The Royal Thames Yacht Club, 60 Knightsbridge, SW1	☿
1819	Travellers' Club, 106 Pall Mall, SW1	♂
1824	The Oriental Club, Stratford Place, W1	{☿}
1824	The Athenæum, 107 Pall Mall, SW1	☿
1831	The Garrick Club, 15 Garrick Street, WC2	♂
1832	The City of London Club, 19 Old Broad Street, EC2	♂
1832	The Carlton Club, 69 St James's Street, SW1	{☿}
1836	The Reform Club, 104 Pall Mall, SW1	☿
1837	The Army and Navy Club, 36 Pall Mall, SW1	☿
1841	Pratt's Club, 14 Park Place, SW1	♂
1849	The East India Club, 16 St James's Square, SW1	♂
1857	The Savage Club, 9 Whitehall Place, W1	♂
1862	The Naval and Military Club, 4 St James's Square, W1	☿
1863	The Arts Club, 40 Dover Street, W1	☿
1868	The Turf Club, 5 Carlton House Terrace, SW1	{☿}
1868	The Savile Club, 69 Brook Street, W1	♂
1870	St Stephen's Club, 34 Queen Anne's Gate, SW1	☿
1876	The Beefsteak, 9 Irving Street, WC2	♂
1882	The National Liberal Club, 1 Whitehall Place, SW1	☿
1886	University Women's Club, 2 Audley Square, W1	♀
1891	The Caledonian Club, 9 Halkin Street, SW1	{☿}
1893	The Cavalry & Guards' Club, 127 Piccadilly, W1	{☿}
1895	The City University Club, 50 Cornhill, EC1	☿
1897	The Royal Automobile Club, 89 Pall Mall, SW1	☿
1908	The Wig & Pen Club, 229–230 Strand, WC2	☿
1910	The Royal Over-seas League, St James's Street, SW1	☿
1914	The City Livery Club, Victoria Embankment, EC4	☿
1918	The RAF Club, 128 Piccadilly, W1	☿
1919	Buck's, 18 Clifford Street, W1	♂
1935	The Lansdowne Club, 9 Fitzmaurice Place, W1	☿
1972	United Oxford & Cambridge Club, 71 Pall Mall, SW1	☿

♂ hommes seulement · ♀ femmes seulement · ☿ hommes & femmes
{☿} hommes membres à part entière, femmes membres associés.

COMPTOIRS FRANÇAIS EN INDE

Pondichéry · Chandernagor · Karikal · Yanaon · Mahé

POPSTARS PRÉMATURÉMENT DÉCÉDÉES

POPSTAR	homicide	drogues & alcool	suicide	accident d'avion	accident de voiture	mort accidentelle	CAUSE DU DÉCÈS	ÂGE
Chet Baker						■	*défenestration*	58
Marc Bolan					■		*overdose d'arbres en voiture*	29
John Bonham		■					*Led Zep' ; étouffé par son vomi*	32
Sonny Bono						■	*collision à ski avec un arbre*	62
Jeff Buckley						■	*noyade dans le Mississippi*	30
Tim Buckley		■					*confusion entre héroïne et cocaïne*	28
Karen Carpenter			■				*sous-dose de rock'n'roll : anorexie*	32
Steve Clark		■					*Def Leppard ; alcool et drogues*	30
Kurt Cobain			■				*Nirvana ; suicide (ou meurtre ?)*	27
Eddie Cochran					■		*accident sur le trajet de l'aéroport*	21
Sam Cooke	■						*abattu par le gérant d'un motel*	33
King Curtis	■						*poignardé devant chez lui*	37
"Mama" Cass						■	*asphyxie par sandwich (jambon)*	32
Jerry Garcia		■					*Grateful Dead : héroïne*	53
Marvin Gaye	■						*abattu par son père*	44
Lowell George		■					*Little Feat ; trop de drogue*	34
Jimi Hendrix		■					*overdose de drogue (suicide ?)*	27
Buddy Holly				■			*LE fameux accident d'avion*	22
M. Hutchence			■				*suicide dans une chambre d'hôtel*	37
Brian Jones						■	*noyé dans sa piscine*	27
Janis Joplin		■					*overdose accidentelle d'héroïne*	27
Paul Kossoff		■					*arrêt cardiaque lié à la drogue*	25
John Lennon	■						*assassiné par Mark Chapman*	40
Kirsty MacColl						■	*collision tragique à jet-ski*	41
Joe Meek			■				*suicide après un meurtre*	37
Keith Moon						■	*alcool, drogue, excès en tous genres*	31
Jim Morrison		■					*alcool et peut-être héroïne*	27
"Notorious" BIG	■						*guerre entre gangsta-rappeurs*	24
Elvis Presley		■					*abus de médicaments*	42
Otis Redding				■			*accident d'avion*	26
J.P. Richardson				■			*LE fameux accident d'avion*	28
Tupac Shakur	■						*guerre entre gangsta-rappeurs*	25
Vivian Stanshall						■	*Bonzo Dog Band ; incendie*	51
Richie Valens				■			*LE fameux accident d'avion*	17
Stevie Ray Vaughan				■			*crash d'hélicoptère en montagne*	35
Sid Vicious		■					*Sex Pistols ; overdose d'héroïne*	21
Gene Vincent		■					*rock'n'roll, excès en tous genres*	36
Dennis Wilson						■	*noyé : Beach Boy sans bouée*	39

MI5, &c.

Les différents départements des services spéciaux de l'armée britannique *(British Military Intelligence)* font l'objet de mainte spéculation ; ce n'est que récemment que l'existence de certains d'entre eux a été officiellement reconnue. Certains de ces départements n'ont eu qu'une existence temporaire ; beaucoup ont fusionné ; d'autres enfin pourraient être totalement fictifs. La liste suivante doit donc être considérée comme hypothétique :

MI 1	Direction des services spéciaux ; également cryptographie
MI 2	Département chargé de la Russie et de la Scandinavie
MI 3	Département chargé de l'Allemagne et de l'Europe de l'Est
MI 4	Reconnaissance aérienne durant la Seconde Guerre mondiale
MI 5	Renseignement & sécurité intérieure
MI 6	Renseignement & sécurité extérieure
MI 8	Interception & interprétation des communications
MI 9	Opérations clandestines · Exfiltrations & évasions
MI 10	Armes · Techniques d'analyse
MI 11	Police & sécurité sur les théâtres d'opérations
MI 14	Spécialistes de l'allemand
MI 17	Corps des secrétaires des différents départements
MI 19	Unité chargée du debriefing des prisonniers de guerre

OÙ TRAVERSER LA TAMISE

Kew · Chiswick · Barnes · Hammersmith · Putney · Wandsworth · Battersea · Albert · Chelsea · Vauxhall · Lambeth · Westminster · Hungerford Foot · Waterloo · Blackfriars · Millennium · Southwark · London · Tower · Rotherhithe Tunnel · Greenwich Foot Tunnel · Blackwall Tunnel

QUELQUES CANADIENS CÉLÈBRES

Pamela Anderson	*actrice*
Margaret Atwood	*écrivain*
Jim Carrey	*comédien*
Leonard Cohen	*chanteur*
David Cronenberg	*réalisateur*
Céline Dion	*chanteuse*
J.K. Galbraith	*économiste*
Erving Goffman	*micro-sociologue*
Marshall McLuhan	*médiologue*
James Naismith	*inventeur du basket*
Oscar Peterson	*pianiste de jazz*
Paul Shaffer	*musicien*
Joe Shuster	*créateur de Superman*
Donald Sutherland	*comédien*
Gilles Villeneuve	*pilote de F1*
Neil Young	*musicien*

MISSILES BALISTIQUES

SRBM	Missile balistique à courte portée	<1 100 km
MRBM	Missile balistique à moyenne portée	1 100–2 750 km
IRBM	Missile balistique à portée intermédiaire	2 750–5 500 km
ICBM	Missile balistique intercontinental	>5 500 km

ARGOT BRUXELLOIS

babelaire	bavard
baes	patron de bistrot
beideleir	mendiant
bêk, bêkes, bêtch !	beurk !
boentje	béguin
brette	dispute
brol	désordre
broubeler	bredouiller
caberdouche	bistrot mal famé
chicklet	chewing-gum
djok	toilettes
douf	chaud, étouffant
fourte !	merde !
froucheler	tripoter une femme
godferdom !	nom de Dieu !
ket, ketje	gamin
kiekefretters	les Bruxellois†
klachkop	chauve
klett, kluut	idiot

† *littéralement : les mangeurs de poulet*

kot	chambre d'étudiant
krotje	petite amie
labbekak	poltron
maatje	hareng salé
meye	vieille femme
michepape	boue
mijole	sexe de la femme
patche, peye	vieillard
potferdek !	nom d'un chien !
scheelzat	saoul
smeerlap	salaud
snottebel	crotte de nez
snul	innocent, simplet
stoeffeur	vantard
en stoemelings	en douce
sukkeleer	pauvre type
tof	chouette, excellent
vlek	toc
zot	bêta
zwanze	humour bruxellois

DEVISE OFFICIEUSE DE LA POSTE AMÉRICAINE

"Neither snow nor rain nor heat nor gloom of night stays these couriers from the swift completion of their appointed rounds."

[Ni la neige, ni la pluie, ni la chaleur ni l'ombre de la nuit n'empêchent ces messagers d'accomplir avec diligence la course qui leur est assignée.]

Cette inscription, longue de 85 m, court sur le fronton de la Poste centrale de New York (8e avenue, 33e rue) ; elle est inspirée de la description des courriers du roi perse Xerxès donnée par Hérodote (Ve siècle avant notre ère). Contrairement à ce que croient beaucoup d'Américains, elle ne constitue nullement la devise officielle des services postaux des États-Unis (USPS).

RÉGATE À L'AVIRON OXFORD-CAMBRIDGE

1829 ..... O	1881 ..... O	:	1923 ..... O	1966 ..... O
1836 C	1882 ..... O	*Putney Bridge*	1924 C	1967 ..... O
1839 C	1883 ..... O	:	1925 C	1968 C
1840 C	1884 C	DÉPART	1926 C	1969 C
1841 C	1885 ..... O	:	1927 C	1970 C
1842 ..... O	1886 C	:	1928 C	1971 C
1845 C	1887 C	:	1929 C	1972 C
1846 C	1888 C	:	1930 C	1973 C
1849 C	1889 C	:	1931 C	1974 ..... O
1849 ..... O	1890 ..... O	1 MILE	1932 C	1975 C
1852 ..... O	1891 ..... O	:	1933 C	1976 ..... O
1854 ..... O	1892 ..... O	:	1934 C	1977 ..... O
1856 C	1893 ..... O	*Hammersmith*	1935 C	1978 ..... O
1857 ..... O	1894 ..... O	*Bridge*	1936 C	1979 ..... O
1858 C	1895 ..... O	:	1937 ..... O	1980 ..... O
1859 ..... O	1896 ..... O	:	1938 ..... O	1981 ..... O
1860 C	1897 ..... O	:	1939 C	1982 ..... O
1861 ..... O	1898 ..... O	2 MILES	1946 ..... O	1983 ..... O
1862 ..... O	1899 C	:	1947 C	1984 ..... O
1863 ..... O	1900 C	:	1948 C	1985 ..... O
1864 ..... O	1901 ..... O	:	1949 C	1986 C
1865 ..... O	1902 C	:	1950 C	1987 ..... O
1866 ..... O	1903 C	:	1951 C	1988 ..... O
1867 ..... O	1904 C	3 MILES	1952 ..... O	1989 ..... O
1868 ..... O	1905 ..... O	:	1953 C	1990 ..... O
1869 ..... O	1906 C	*Barnes*	1954 ..... O	1991 ..... O
1870 C	1907 C	*Bridge*	1955 C	1992 ..... O
1871 C	1908 C	:	1956 C	1993 C
1872 C	1909 ..... O	:	1957 C	1994 C
1873 C	1910 ..... O	:	1958 C	1995 C
1874 C	1911 ..... O	4 MILES	1959 ..... O	1996 C
1875 ..... O	1912 ..... O	:	1960 ..... O	1997 C
1876 C	1913 ..... O	– ARRIVÉE – *4 miles 374 yds*	1961 C	1998 C
1877 ..... Æ	1914 C	:	1962 C	1999 C
1878 ..... O	1920 C	*Chiswick*	1963 ..... O	2000 ..... O
1879 C	1921 C	*Bridge*	1964 C	2001 C
1880 ..... O	1922 C	:	1965 ..... O	2002 ..... O

Victoires d'Oxford [70] · *Victoires de Cambridge [77]* · *Ex Æquo [1]*

On doit l'idée de la Régate à deux amis, Charles Merivale (Cambridge) et Charles [neveu du poète William] Wordsworth (Oxford). Le 12 mars 1829, Cambridge lançait le défi à Oxford : la Régate était née. Par tradition, le perdant convie le vainqueur de l'année précédente à la prochaine Régate.

PIÈCES DE MONNAIE EUROPÉENNES

2€ *Poids* 8,50 g · *Diamètre* 25,75 mm · *Couronne* blanche
Cœur jaune · *Tranche* cannelures fines, devise et/ou ★★★
Métal du cœur nickel pur entre 2 couches 75% cuivre & 25% nickel
Métal de la couronne 75% cuivre, 20% zinc, 5% nickel.

1€ *Poids* 7,50 g · *Diamètre* 23,25 mm · *Couronne* jaune
Cœur blanc · *Tranche* alternée lisse & cannelée
Métal du cœur nickel pur entre 2 couches 75% cuivre & 25% nickel
Métal de la couronne 75% cuivre, 20% zinc, 5% nickel.

50c *Poids* 7,80 g · *Diamètre* 24,25 mm · *Tranche* larges cannelures
Métal cupro-aluminium "nordique" : 89% cuivre,
5% aluminium, 5% zinc, 1% étain.

20c *Poids* 5,74 g · *Diamètre* 22,25 mm · *Tranche* lisse à 7 cannelures
Métal cupro-aluminium "nordique".

10c *Poids* 4,10 g · *Diamètre* 19,75 mm · *Tranche* larges cannelures
Métal cupro-aluminium "nordique".

5c *Poids* 3,92 g · *Diamètre* 21,25 mm · *Tranche* lisse
Métal acier plaqué cuivre.

2c *Poids* 3,06 g · *Diamètre* 18,75 mm · *Tranche* rainure circulaire
Métal acier plaqué cuivre.

1c *Poids* 2,30 g · *Diamètre* 16,25 mm · *Tranche* lisse
Métal acier plaqué cuivre.

Les pièces de même valeur ont toutes une face identique *(revers)* dessinée par le graveur belge Luc Luycx, portant : la valeur faciale · les 12 étoiles, emblème de l'Europe · un globe terrestre centré sur l'Europe (1, 2 & 5 c), les pays de la zone euro, frontières éclatées (10, 20 & 50 c), les mêmes juxtaposés (1 & 2 €). L'autre face *(avers)*, nationale, porte également les 12 étoiles, associées à différents symboles selon les pays. Exemples :

Irlande .....toutes valeurs .... harpe gaélique
Portugal ...1, 2 & 5 c .... sceau à la croix (1134)
Italie ....50 c .... statue équestre de l'empereur Marc-Aurèle
Grèce ......10 c .... buste de Rhigas Vélestinlis-Ferrarios (1757-1798)
Finlande ...2 € ...... mûrier *lakka* & devise SUOMI FINLAND (tranche)
Autriche ...50 c .... palais de la Sécession à Vienne
France .....1 & 2 € .... arbre de la Liberté

LIGNES DE LA MAIN

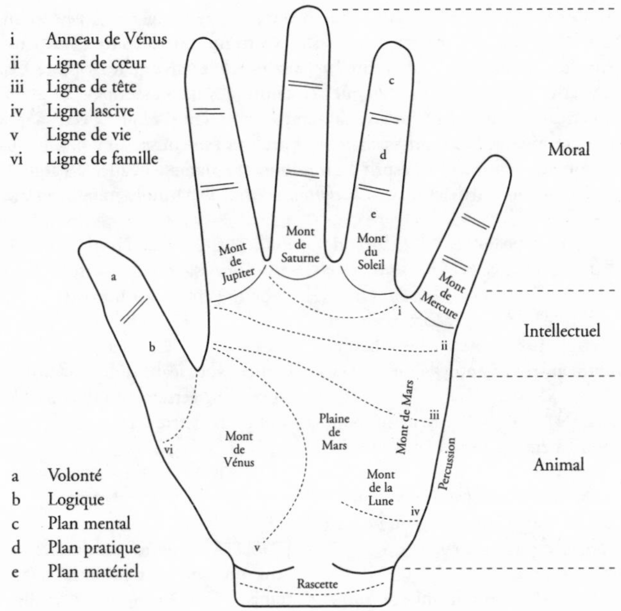

LES 7 MERVEILLES DU MONDE ANTIQUE

LA GRANDE PYRAMIDE DE GIZEH immense construction de pierre dont le pharaon Khéops fit son tombeau, élevée auprès de l'antique cité de Memphis.

LES JARDINS SUSPENDUS DE BABYLONE attenants au palais du roi Nabuchodonosor II sur les rives de l'Euphrate.

LE MAUSOLÉE D'HALICARNASSE tombeau édifié pour le roi Mausole, satrape de Carie dans l'empire perse.

LA STATUE DE ZEUS À OLYMPIE réalisée par le légendaire sculpteur Phidias.

LE TEMPLE D'ARTÉMIS À ÉPHÈSE bâti en l'honneur de la déesse de la chasse et de la nature sauvage.

LE COLOSSE DE RHODES statue monumentale du dieu du soleil, Hélios.

LE PHARE D'ALEXANDRIE construit sous la dynastie des Ptolémée sur l'île de Pharos.

LE DICTIONNAIRE DU DIABLE

Ambrose Bierce (1842–*ca.* 1914) fut un homme remarquable à plus d'un titre : vétéran de la guerre de Sécession, écrivain, poète, journaliste, c'est surtout en tant que créateur du *Dictionnaire du Diable* qu'il est passé à la postérité. Les définitions cyniques et caustiques imaginées par ce "Swift américain" résistent à l'épreuve du temps, et parlent toujours à ceux à qui il les destinait : "les esprits éclairés qui préfèrent le vin sec au vin doux, la raison aux sentiments, l'esprit à l'humour, et la langue châtiée à l'argot". Voici quelques articles de ce *Dictionnaire*, choisis parmi les plus acerbes :

ACCOMPLISSEMENT · Mort de l'effort, et naissance du dégoût.

ADMIRATION · Façon polie de reconnaître une ressemblance entre autrui et nous-même.

ALLANT DE SOI · Évident pour nous-même et personne d'autre.

ARMURE · Genre de vêtement porté par celui qui prend un forgeron pour tailleur.

CADAVRE · Produit fini dont nous sommes la matière première.

COMMISSAIRE-PRISEUR · Individu proclamant avec un marteau qu'il vient de vider une bourse avec sa langue.

CORSAIRE · Politicien des mers.

COUARD · Celui qui, dans une situation critique, pense avec ses jambes.

DENTISTE · Prestidigitateur qui, tout en vous mettant du métal dans la bouche, tire des pièces de monnaie de votre poche.

DEUX FOIS · Une de trop.

ÉLECTEUR · Celui qui jouit du privilège sacré de voter pour l'homme choisi par un autre.

ENVELOPPE · Cercueil d'un document ; fourreau d'une facture ; cosse d'un versement ; chemise de nuit d'une lettre d'amour.

ÉRUDITION · Poussière tombée d'un livre dans un crâne vide.

FIDÉLITÉ · Vertu particulière à ceux qui sont sur le point d'être trahis.

HABITUDES · Entraves pour les hommes libres.

HOSPITALITÉ · Vertu qui nous pousse à loger et à nourrir de certaines personnes n'ayant nul besoin d'être nourries ni logées.

HUÎTRE · Mollusque gluant en forme de crachat que les hommes civilisés sont assez intrépides pour manger sans lui ôter les entrailles.

ILLUSTRE · En bonne place pour essuyer les traits de la méchanceté, de l'envie et du dénigrement.

IMPUNITÉ · Richesse.

LE DICTIONNAIRE DU DIABLE (suite)

INSURRECTION · Révolution qui n'a pas réussi. Échec du mécontentement dans sa tentative de remplacer un mauvais gouvernement par un autre.

KILT · Costume porté parfois par les Écossais en Amérique et par les Américains en Écosse.

LANGAGE · Musique par laquelle nous charmons les serpents qui gardent le trésor d'autrui.

LUNDI · Dans les pays chrétiens, le jour qui suit le match de base-ball.

MAUSOLÉE · L'ultime folie des riches, et la plus ridicule.

MINISTRE · Fonctionnaire doté d'un très grand pouvoir et d'une toute petite responsabilité.

PEINTURE · Art de protéger des surfaces planes contre les intempéries tout en les exposant à la critique.

POLITIQUE · Conduite des affaires publiques en vue d'un avantage privé.

PRIER · Demander que l'on annule les lois de l'univers en faveur d'un seul solliciteur, qui reconnaît lui-même son indignité.

PRIX · Valeur d'un objet, plus une somme raisonnable pour l'usure subie par la conscience en le demandant.

RASEUR · Celui qui parle quand vous voudriez qu'il écoute.

SATIÉTÉ · Le sentiment que l'on éprouve pour l'assiette après avoir mangé ce qu'elle contenait.

SECOURIR · Faire un ingrat.

SEUL · En mauvaise compagnie.

TÉLÉPHONE · Invention du diable qui annule certains des avantages que l'on trouve à tenir à distance une personne désagréable.

VIOLON · Instrument destiné à chatouiller les oreilles de l'homme par le frottement de la queue d'un cheval sur les boyaux d'un chat.

ZÈLE · Trouble nerveux affectant les êtres jeunes et inexpérimentés.

QUELQUES ACRONYMES CHIMIQUES

TNT	Trinitrotoluène	*explosif*
LSD	Diéthylamide de l'acide lysergique	*hallucinogène*
DDT	Dichloro-diphényl-trichloroéthane	*insecticide*
PCP	Phéncyclidine	*hallucinogène*
CFC	Chlorofluorocarbone	*gaz réfrigérant*
GTN	Trinitroglycérol	*vasodilatateur*

QUELQUES ABRÉVIATIONS MÉDICALES

Ac ... anticorps
ACR ... arrêt cardio-respiratoire
AG/AL .. anesthésie générale/locale
Alb ... albumine
ALD ... affection de longue durée
ASp ... accouchement spontané
AT ... accouchement à terme
ATCD ... antécédents
AV ... acuité visuelle
AVC ... accident vasculaire cérébral
BC ... bronchite chronique
BDA ... bouffée délirante aiguë
BH ... bilan hépatique
bid ... *bis in die*, deux fois par jour
BK .. bacille de Koch (tuberculose)
c à c ... cuiller à café
c à s ... cuiller à soupe
C 1–12 ... côtes 1 à 12
CE ... corps étranger
CMV ... cytomégalovirus
cp ... comprimé
CV ... cardiovasculaire
CV ... champ visuel
D 1–12 .. vertèbres dorsales 1 à 12
DDR ... date des dernières règles
DID ... diabète insulino-dépendant
DPA ... date présumée de l'accouchement
DT ... *delirium tremens*
ECG ... électrocardiogramme
ECT ... électrochoc
EP ... embolie pulmonaire
FC ... fréquence cardiaque
FIV ... fécondation *in vitro*
FO ... fond d'œil
FR ... fréquence respiratoire
FV ... fibrillation ventriculaire
GEU ... grossesse extra-utérine
GH ... hormone de croissance
GR ... globules rouges
HAD ... hospitalisation à domicile
Hb ... hémoglobine
HBV ... virus de l'hépatite B
HDM ... histoire de la maladie
HSV ... virus de l'herpès simplex
HTA ... hypertension artérielle
Ht ... hématocrite
HV ... hépatite virale
IA ... insémination artificielle
ID ... intradermique
IDM ... infarctus du myocarde
IFN ... interféron
IM ... intra-musculaire
IO ... infection opportuniste
IR ... insuffisance respiratoire
IRM ... imagerie par résonance magnétique
IV ... intraveineuse
K ... cancer
KT ... cathéter
MCE ... massage cardiaque externe
MNI ... mononucléose infectieuse
MSN ... mort subite du nourrisson
MST ... maladie sexuellement transmissible
PC ... perte de connaissance
PL ... ponction lombaire
PLS ... position latérale de sécurité
PM ... pace-maker
PMD psychose maniaco-dépressive
po ... *per os*, par voie orale
Réa ... service de réanimation
Rh ... facteur rhésus
ROR ... rougeole-oreillons-rubéole
SC ... sous-cutané
SEP ... sclérose en plaques
SY ... syphilis
T & P ... température & pouls
TC ... trauma crânien
TD ... tube digestif
TO ... tension oculaire
TRT ... traitement
UGD ... ulcère gastroduodénal
USI ... unité de soins intensifs
VIH .. virus de l'immunodéficience humaine (SIDA)

LA STATUE DE LA LIBERTÉ

de la base à la torche	46,50 m
du talon à la tête	33,85 m
longueur de la main	5 m
longueur de l'index	2,45 m
du menton au crâne	5,25 m
d'une oreille à l'autre	3 m
largeur de la bouche	0,90 m
entre les deux yeux	0,75 m
longueur du nez	1,50 m
longueur du bras droit	12,80 m
épaisseur du bras droit	3,65 m
épaisseur à la taille	10,65 m
poids total	225 t
marches jusqu'à la couronne	354

Give me your tired, your poor,
Your huddled masses yearning to breathe free,
The wretched refuse of your teeming shore,
Send these, the homeless, tempest-tossed,
To me : I lift my lamp beside the golden door.

Donnez-les moi, vos foules
Harassées, démunies, languissant d'être libres,
Pauvre rebut de vos rivages surpeuplés ;
Ces indigents dans la tourmente, envoyez-les
Vers moi : je brandis mon flambeau près de la porte d'or !

— Inscription du piédestal, EMMA LAZARUS, 1883

COUPE DU MONDE DE FOOTBALL

ANNÉE		MASCOTTE	FINALE	SCORE
1930	Uruguay	——	Uruguay – Argentine	4-2
1934	Italie	——	Italie – Tchécoslovaquie	2-1
1938	France	——	Italie – Hongrie	4-2
1950	Brésil	——	Uruguay – Brésil	2-1
1954	Suisse	——	Allemagne – Hongrie	3-2
1958	Suède	——	Brésil – Suède	5-2
1962	Chili	——	Brésil – Tchécoslovaquie	3-1
1966	Angleterre	Willie	Angleterre – Allemagne	4-2
1970	Mexique	Juanito	Brésil – Italie	4-1
1974	Allemagne	Tip & Tap	Allemagne – Hollande	2-1
1978	Argentine	Gauchito	Argentine – Hollande	3-1
1982	Espagne	Naranjito	Italie – Allemagne	3-1
1986	Mexique	Pique	Argentine – Allemagne	3-2
1990	Italie	Ciao	Allemagne – Argentine	1-0
1994	États-Unis	Striker	Brésil – Italie [tirs au but]	3-2
1998	France	Footix	France – Brésil	3-0
2002	Japon/Corée S.	Kaz, Ato, Nik	Brésil – Allemagne	2-0

LIVRES DU LIVRE DE MORMON (1830)

Nephi I	Omni	Nephi III
Nephi II	Paroles de Mormon	Nephi IV
Jacob	Mosiah	Mormon
Enos	Alma	Ether
Jarom	Helaman	Moroni

PROVERBIALEMENT, IL NE FAUT PAS

... réveiller le chat qui dort
... parler de corde dans la maison d'un pendu
... remettre au lendemain ce qu'on peut faire le jour même
... vendre la peau de l'ours avant de l'avoir tué
... jeter le bébé avec l'eau du bain
... mélanger les torchons avec les serviettes
... cacher la lumière sous le boisseau
... juger de l'arbre par l'écorce
... mettre tous ses œufs dans le même panier
... clocher devant les boiteux
... dire : fontaine je ne boirai pas de ton eau
... prendre les enfants du bon Dieu pour des canards sauvages

LES LOIS DE LA ROBOTIQUE

Bien qu'elles soient déjà implicites dans certaines des œuvres antérieures d'Isaac Asimov, ce n'est qu'en 1942, dans la nouvelle *Cycle fermé*, que celui-ci formula explicitement ses trois célèbres Lois de la Robotique :

PREMIÈRE LOI	DEUXIÈME LOI	TROISIÈME LOI	ZÉROIÈME LOI
Un robot ne saurait faire de mal à un être humain, ni permettre par son inaction qu'il arrive aucun mal à un humain.	*Un robot doit obéir aux ordres donnés par les humains, sauf si ces ordres sont en contradiction avec la 1ère Loi.*	*Un robot doit protéger sa propre existence, aussi longtemps que cela n'entre pas en contradiction avec la 1ère ou la 2e Loi.*	*Un robot ne saurait faire de mal à l'humanité, ni permettre par son inaction qu'il arrive aucun mal à l'humanité.*

Par la suite, Asimov eut le sentiment que ses trois lois initiales étaient insuffisantes pour assurer la protection de la société dans son ensemble. Aussi leur adjoignit-il en 1985, dans son ouvrage *Les Robots et l'Empire*, la "zéroième" loi à laquelle les trois autres se trouvent subordonnées.

LES JOURS OÙ HISSER L'UNION JACK

Officiellement, le drapeau britannique (Union Jack) doit être hissé dans les occasions suivantes, de 8 h du matin au coucher du soleil :

Accession au Trône de la Reine Élisabeth II .... 6 février
Anniversaire du Prince Andrew..................................19 février
Saint-David [Pays de Galles] ....1er mars
Anniversaire du Prince Edward ....10 mars
Jour du Commonwealth..................................2e lundi de mars
Anniversaire de la Reine ....21 avril
Saint-Georges [Angleterre]..23 avril
Journée de l'Europe...9 mai
Jour du Couronnement ....2 juin
Anniversaire du Duc d'Edimbourg ....10 juin
Anniversaire officiel de la Reine.................. juin *[varie selon les années]*
Anniversaire de la Princesse Anne ....15 août
Dimanche du Souvenir .... novembre *[varie selon les années]*
Anniversaire du Prince de Galles.............................14 novembre
Anniversaire de mariage de la Reine ....20 novembre
Saint-André [Écosse]...30 novembre

Ainsi que pour l'ouverture & la prorogation de la session du Parlement.

LE DRAPEAU DU KIRIBATI

La partie supérieure est rouge, portant une frégate (aigle de mer) jaune, volant de droite à gauche, inscrite sur le soleil levant. La partie inférieure est bleu foncé avec des vagues blanches dessinant la mer.

ARCANES MAJEURS DU TAROT

I. LE·BATELEUR
II. LA·PAPESSE
III. L'IMPÉRATRICE
IIII. L'EMPEREUR
V. LE·PAPE
VI. L'AMOVREVX
VII. LE·CHARIOT
VIII. LA·JUSTICE
VIIII. L'HERMITE
X. LA·ROVE·DE·FORTVNE
XI. LA·FORCE
XII. LE·PENDU
XIII. *Arcane sans nom* [LA MORT]
XIIII. TEMPÉRANCE
XV. LE·DIABLE
XVI. LA·MAISON·DIEV
XVII. L'ÉTOILE
XVIII. LA·LUNE
XVIIII. LE·SOLEIL
XX. LE·JUGEMENT
XXI. LE·MONDE
LE·MAT [*ou* LE FOU]

STATISTIQUES

À partir des valeurs suivantes : 10, 10, 20, 30, 30, 30, 40, 50, 70, 100

MOYENNE	somme des valeurs divisée par leur nombre	39
MODE	valeur la plus fréquente	30
MÉDIANE	valeur “centrale”, ici : (30+30) / 2	30
ÉTENDUE	différence entre valeurs maximale & minimale	90

RADIO : CODES 10

10–1	réception faible
10–2	bonne réception
10–3	arrêtez de transmettre
10–4	OK message reçu
10–5	relayez le message
10–6	occupé, attendez
10–7	hors-service
10–8	en service
10–9	répétez le message
10–10	transmission terminée
10–21	appelez par téléphone
10–23	attendez
10–33	urgence

ALPHABET OTAN

A	Alpha	N	November
B	Bravo	O	Oscar
C	Charlie	P	Papa
D	Delta	Q	Quebec
E	Echo	R	Romeo
F	Foxtrot	S	Sierra
G	Golf	T	Tango
H	Hotel	U	Uniform
I	India	V	Victor
J	Juliet	W	Whisky
K	Kilo	X	X-ray
L	Lima	Y	Yankee
M	Mike	Z	Zulu

CODES Q

QQR	appel de détresse
QRG	fréquence
QRM	brouillage
QRN	parasites atmosphériques
QRO	signal puissant
QRP	signal faible
QRT	silence
QSO	contact radio
QTH	position géographique
QTR	heure

CHIFFRES ÉPELÉS

0	Nadazero	zéro *ou* nul
1	Unaone	unité
2	Bissotwo	deux fois un
3	Terrathree	deux et un
4	Kartefour	deux fois deux
5	Pantafive	trois et deux
6	Soxisix	deux fois trois
7	Setteseven	quatre et trois
8	Oktoeight	deux fois quatre
9	Novenine	cinq et quatre

LES 7 COLLINES DE ROME

Palatin (51 m) · Aventin (46 m) · Capitole (49 m) · Quirinal (69 m) · Viminal (54 m) · Esquilin (58 m) · Caelius (48 m)

ÉCHELLE DE MOHS

Entre 1812 et 1822, le minéralogiste autrichien Friedrich Mohs élabora une échelle permettant d'évaluer la dureté d'une substance en la comparant à une sélection de différents minéraux. Chacun des 10 minéraux de cette liste est plus dur que le précédent, et par conséquent capable de le rayer :

[1] Talc · [2] Gypse · [3] Calcite · [4] Fluorite · [5] Apatite
[6] Orthose · [7] Quartz · [8] Topaze · [9] Corindon · [10] Diamant

TRAVAUX PANTAGRUÉLIQUES

Dans le roman de Rabelais, le géant Gargantua écrit à son fils Pantagruel une lettre où il l'enjoint de se consacrer aux études & travaux suivants :

« *J'entends & veux que tu apprennes les langues parfaitement. Premièrement la Grecque comme le veut Quintilian. Secondement la Latine. Et puis l'Hébraïque pour les saintes Lettres & la Chaldaïque & Arabique pareillement, & que tu formes ton style quant à la Grecque, à l'imitation de Platon : quant à la Latine, à Cicéron. Qu'il n'y ait histoire que tu ne tiennes en mémoire présente, à quoi t'aidera la Cosmographie de ceux qui en ont écrit. Des arts libéraux, Géométrie, Arithmétique & Musique, je t'en donnai quelque goût quand tu étais encore petit en l'âge de cinq à six ans, poursuis la reste, & de Astronomie saches-en tous les canons, laisse-moi l'Astrologie divinatrice & l'art de Lullius comme abus & vanités. Du Droit civil, je veux que tu saches par cœur les beaux textes, & me les confères avec philosophie. Et quant à la connaissance des faits de nature, je veux que tu t'y adonnes curieusement, qu'il n'y ait mer, rivière, ni fontaine, dont tu ne connaisses les poissons, tous les oiseaux de l'air, tous les arbres, arbustes & fructices des forêts, toutes les herbes de la terre, tous les métaux cachés au ventre des abîmes, les pierreries de tout Orient & Midi, rien ne te soit inconnu. Puis soigneusement revisite les livres des médecins Grecs, Arabes & Latins, sans contemner les Talmudistes, & Cabalistes, & par fréquentes anatomies acquiers toi parfaite connaissance de l'autre monde, qui est l'homme. … Somme que je voie un abîme de science : car dorénavant que tu deviens homme & te fais grand, il te faudra issir de cette tranquillité & repos d'étude : & apprendre la chevalerie, & les armes pour défendre ma maison…* »

LES 5 SOLIDES RÉGULIERS DE PLATON

Polyèdre régulier	*Faces*
tétraèdre	4 triangles
cube	6 carrés
octaèdre	8 triangles
dodécaèdre	12 pentagones
icosaèdre	20 triangles

PANGRAMMES

Ces phrases, que l'on pourrait aussi qualifier d'"holalphabétiques", présentent la particularité de contenir chacune des lettres de l'alphabet. Elles sont tout spécialement utiles aux typographes pour examiner des polices de caractères.

Portez ce vieux whisky au juge blond qui fume
Voyez le brick géant que j'examine près du wharf
Zig de l'ex-tramway que je vis bafoué en chapka†
Fritz Hemingway, vieux bijou kaléidoscopique
Douze à six au hockey, faut que je me prive au bowling
Zweig modifia le juke-box psychonévrotique
Patchwork de vingt-six, quel job ! Fumez-y !

† *Hommage aux* Exercices de Style *de Raymond Queneau*

COUCHES ATMOSPHÉRIQUES

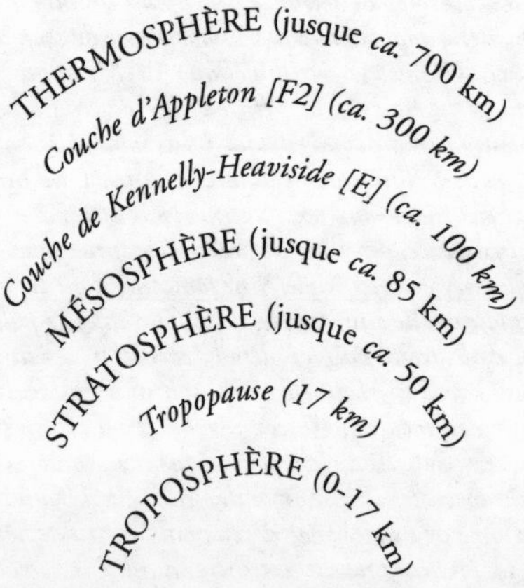

La couche d'ozone est située dans la stratosphère, entre 19 et 30 km environ au-dessus de la surface terrestre. L'ozone se forme lorsque les radiations solaires frappent des molécules de dioxygène (O_2) et entraînent leur dissociation : les atomes d'oxygène peuvent alors s'agréger à des molécules O_2 pour former de l'ozone (O_3), selon un processus appelé photolyse. L'ozone absorbe la plupart des radiations UV [290–400nm] émises par le soleil, dont certaines potentiellement nocives pour la vie sur terre.

DÉPÔT LÉGAL

En France, le dépôt légal remonte à François Ier, qui décréta[†] que tous les imprimés faits dans son royaume devaient être déposés à la Bibliothèque royale. La loi actuelle[‡] fait obligation à tout éditeur d'un ouvrage ou document non périodique d'en déposer quatre exemplaires à la Bibliothèque nationale de France ainsi qu'un exemplaire au Ministère de l'intérieur.

† *ordonnance de Montpellier, 1537* ‡ *loi n° 92-546 du 20 juillet 1992*

LES 10 PLAIES D'ÉGYPTE

Première plaie · Eaux du Nil changées en sang
Deuxième plaie · Invasion de grenouilles
Troisième plaie · Nuée de moustiques
Quatrième plaie · Nuée de taons
Cinquième plaie · Peste du bétail
Sixième plaie · Ulcères & pustules
Septième plaie · Grêle
Huitième plaie · Invasion de sauterelles
Neuvième plaie · Trois jours de ténèbres
Dixième plaie · Mort de tous les premiers-nés

ABRÉVIATIONS DES LIBRAIRES D'ANCIEN

fasc. . . . . . . fascicule
s.l. . . . . . sans lieu d'édition indiqué
s.d. . . . . . sans date d'édition
s.l.n.d. . . . . . sans lieu ni date
s.n. . . . . . sans nom d'éditeur
E.O. . . . . . édition originale
h.-c. . . . . . hors-commerce
f *ou* ff. . . . . . feuilles, feuillets
p *ou* pp. . . . . . pages
n. ch. . . . . . non chiffré
ms. *ou* mss. . . . . . manuscrits
p. de t. . . . . . pièce de titre
front. . . . . . frontispice
ill. . . . . . illustrations
grav. . . . . . gravures
pl. . . . . . planches
h.-t. . . . . . hors-texte
br. . . . . . broché
rel. . . . . . relié
cart. éd. . . . . . cartonnage éditeur
demi rel. . . . . . demi reliure
pl. rel. . . . . . pleine reliure
rel. d'ép. . . . . . reliure d'époque
rel. post. . . . . . reliure postérieure
couv. cons. . . couverture conservée
mar. . . . . . maroquin
bas. . . . . . basane
tr. dor. . . . . . tranche dorée
ttes tr. . . . . . toutes tranches
piq. . . . . . piqûres
rouss. . . . . . rousseurs
mouill. . . . . . mouillures
inc. . . . . . incomplet
mque . . . . . . manque
défr. . . . . . défraîchi
ex. tr. . . . . . exemplaire de travail
t.b.e. . . . . . très bel exemplaire
n.c. . . . . . non coupé

NOMENCLATURE DES BOUTEILLES

	Champagne	*Bordeaux*	*Bourgogne*
Picolo	¼	—	—
Chopine	—	⅓	—
Fillette / Demi	½	½	½
Magnum	2	2	2
Marie-Jeanne	—	3	—
Double Magnum	—	4	—
Jéroboam	4	6	4
Réhoboam	6	—	6
Mathusalem	8	—	8
Salmanazar	12	—	12
Balthazar	16	16	16
Nabuchodonosor	20	20	20
Melchior	24	24	24

Les capacités sont exprimées en nombre de bouteilles ordinaires (75 cl)
Le vieillissement du vin se fait en général dans des bouteilles ne dépassant pas le Magnum.

QUELQUES TECHNIQUES DIVINATOIRES

divination par les nombres	arithmomancie
analyse des traits du visage	métoposcopie
écoute du bruit des coquillages	ostracomancie
divination par la fumée	capnomancie
observation de la foudre	art fulgural *ou* brontoscopie
divination par le feu	pyromancie
présage par la vue des oiseaux de nuit	biastomancie
divination par les flèches	bélomancie
lecture de l'huile versée sur de l'eau	lécanomancie
divination par les miroirs	catoptromancie
examen des cendres	spondanomancie
divination par les ombres	skiamancie
lecture d'un livre (sacré) ouvert au hasard	bibliomancie
interprétation des éternuements	ptarmoscopie
divination par les sources	pégomancie
analyse des vols ou des cris d'oiseaux	ornithomancie
présage par les flammes ou les torches	lampadomancie
examen des entrailles de victimes sacrifiées	aruspicine
interprétation du rire	géloscopie
calcination de paille sur un fer rouge	sidéromancie
divination par les osselets	astragalomancie
lecture des marques d'humidité sur les cailloux	pséphomancie

ÉCHELLE DE COMA DE GLASGOW

L'échelle de coma de Glasgow (GCS : *Glasgow Coma Scale*) a été conçue en 1975 pour aider les médecins à évaluer la gravité des traumatismes crâniens et pour en suivre l'évolution au fil du temps. Le score GCS est obtenu par la somme de trois tests : ouverture des yeux, réponses visuelle et motrice. Le plus faible score GCS possible est de 3 ; le plus élevé de 15.

OUVERTURE DES YEUX

4 .... Ouverture spontanée
3 .... Ouverture à l'appel
2 .... Ouverture à la douleur
1 ...... Aucune ouverture des yeux

MEILLEURE RÉPONSE VERBALE

5 .... Réponse orientée et claire
4 .... Conversation confuse
3 .... Mots inappropriés
2 .... Sons incompréhensibles
1 .... Aucune réponse verbale

MEILLEURE RÉPONSE MOTRICE

6 .... Mouvement commandé
5 ...... Localisation d'un stimulus
4 .... Retrait au stimulus
3 .... Flexion à la douleur
2 .... Extension à la douleur
1 .... Aucune réponse motrice

Afin de fournir les renseignements les plus précis, le GCS est souvent exprimé par ses trois composantes.
Exemple : GCS 9 = Y2 V4 M3

ÉPREUVES DU DÉCATHLON

premier jour – 100 mètres · saut en longueur
lancer du poids · saut en hauteur · 400 mètres

deuxième jour – 110 mètres haies · lancer du disque
saut à la perche · lancer du javelot · 1500 mètres

QUELQUES CODES PEU FRÉQUENTS DE DOMAINES INTERNET

.ac . île de l'Ascension
.aw .... Aruba
.bf...... Burkina Faso
.bj .... Bénin
.bv......... île Bouvet
.cx...... île Christmas
.er.......... Érythrée
.fj .... Fidji
.gg .... Guernesey
.gp ...... Guadeloupe
.gw.... Guinée-Bissau
.ht.............. Haïti
.im .... île de Man
.iq .... Irak
.is............ Islande
.ki........... Kiribati
.kg ...... Kirghizistan
.kz .... Kazakhstan
.mc.......... Monaco
.mm .... Myanmar
.no .... Norvège
.om .... Oman
.pn .... île Pitcairn
.re.. île de la Réunion
.sh .... Sainte-Hélène
.sr .... Surinam
.tg .... Togo
.tv .... Tuvalu
.ug .... Ouganda
.vu .... Vanuatu
.ye .... Yémen
.yt........... Mayotte
.za ... Afrique du Sud

GUIDAGE DES AVIONS SUR LES PISTES

PAR ICI

VOIE DÉGAGÉE

ALLUMER LES MOTEURS

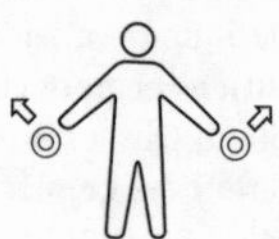
RETIRER LES CALES

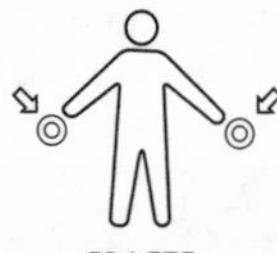
PLACER LES CALES

AVANCER

TOURNER À DROITE

TOURNER À GAUCHE

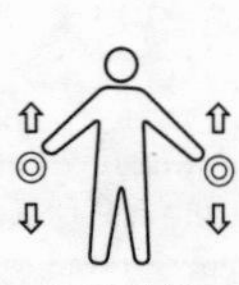
RALENTIR

STOP

TOUT DROIT

COUPER LES MOTEURS

SAINTS PATRONS

Coiffeurs .... saint Louis
Peintres & artistes....... saint Luc
Cordonniers .... saint Crépin
Fleuristes .... sainte Dorothée
Éditeurs.......... saint Jean Bosco
Marins .... saint Elme
Tailleurs............. saint Casimir
Vignerons........... saint Vincent
Médecins.......... saint Pantaléon
Comédiens........... saint Genest
Ivrognes.............. saint Urbain
Apiculteurs........ saint Ambroise
Spéléologues.......... saint Benoît
Fossoyeurs............. saint Maur
Boulangers .... saint Honoré
Employés de maison ... sainte Zita
Percepteurs .... saint Matthieu
Dentistes.......... sainte Apolline
Photographes.... sainte Véronique
Jardiniers.............. saint Fiacre
Pèlerins............. saint Jacques
Musiciens............ sainte Cécile
Invalides........... saint Sébastien
Secrétaires........... saint Cassien
Enfants.............. saint Nicolas
Mineurs............... sainte Barbe
Fiancés.............. saint Valentin
Hôteliers.............. saint Julien
Diplomates........... saint Gabriel
Traducteurs .... saint Jérôme

AXIOMES & POSTULATS D'EUCLIDE

Les grandeurs égales à une même grandeur sont égales entre elles.

Si à des grandeurs égales on ajoute des grandeurs égales, les sommes seront égales.

Si à des grandeurs égales on retranche des grandeurs égales, les restes seront égaux.

Le tout est plus grand que la partie.

Les grandeurs [géométriques] qui coïncident entre elles sont égales entre elles.

On peut tracer une ligne droite d'un point quelconque à un autre point quelconque.

Toute ligne droite finie peut être prolongée à l'infini.

Tous les angles droits sont égaux entre eux.

À partir d'un point quelconque, avec un rayon quelconque, on peut décrire un cercle.

Si une droite, tombant sur deux droites, fait les angles intérieurs du même côté plus petits que deux droits, ces droites, prolongées à l'infini, se rencontreront du côté où les angles sont plus petits que deux droits.

CATÉGORIES D'ARTIFICES

Catégorie K1	Artifices ne présentant qu'un danger mineur : pétards (<3 g), fusées (<10 g), cierges magiques (<50 g). Aucune restriction de vente ni de mise en œuvre.
Catégorie K2	Pétards puissants, petits jets, chandelles, artifices scéniques (<100 g). Vente interdite aux mineurs. Aucune qualification requise pour la mise en œuvre.
Catégorie K3	Bombes, chandelles, jets, batteries, fusées (<500 g). Vente interdite aux mineurs. Aucune qualification requise pour la mise en œuvre. Les spectacles pyrotechniques utilisant des artifices K3 dont la masse totale est >35 kg doivent être déclarés en préfecture.
Catégorie K4	Artifices professionnels (>500 g). Vente interdite aux mineurs. La mise en œuvre ne peut être effectuée que par un artificier titulaire du certificat de qualification au tir d'artifices de divertissement. Tous les feux d'artifices K4 doivent être déclarés en préfecture avant la date de tir.

Dans tous les cas, respecter les consignes & les distances de sécurité indiquées dans le mode d'emploi.

NOMENCLATURE DES RELIEFS DES PLANÈTES & SATELLITES

Depuis 1919, l'Union Astronomique Internationale (IAU) a la charge d'établir la nomenclature des reliefs des planètes et de leurs satellites. Un système complexe de toponymie a été élaboré afin que toute nouvelle découverte reçoive un nom sur la base d'associations thématiques, historiques ou poétiques, selon les différents corps célestes. Par convention, en sont exclus les noms à connotation militaire, politique ou religieuse (exception faite de certaines figures politiques antérieures au XIXᵉ siècle). En outre, le nom d'une personnalité n'est susceptible d'être ainsi honoré qu'au moins trois ans après sa mort. La liste qui suit donne quelques exemples des catégories retenues pour baptiser ces reliefs :

	RELIEFS	NOMENCLATURE
LUNE	*Cratères principaux*	érudits, artistes & savants
	Cratères secondaires	prénoms courants
VÉNUS	*Failles*	déesses de la guerre
	Dômes	déesses des déserts
	Hautes terres	déesses de l'amour
MERCURE	*Vallées*	grands radiotélescopes
MARS	*Chenaux*	le nom "Mars" décliné en plusieurs langues
SATELLITES DE SATURNE	*Téthys*	personnages & lieux de l'*Odyssée*
	Hypérion	divinités du soleil et de la lune
SATELLITES D'URANUS	*Miranda*	personnages & lieux shakespeariens
	Titania	héroïnes shakespeariennes
EUROPE	*Terrains accidentés*	lieux de la mythologie celtique
	Lignes circulaires	cercles de pierre celtiques

PIERRES DE NAISSANCE

Janvier	Grenat	Juillet	Rubis
Février	Améthyste	Août	Péridot
Mars	Aigue-marine	Septembre	Saphir
Avril	Diamant	Octobre	Tourmaline
Mai	Émeraude	Novembre	Topaze
Juin	Perle	Décembre	Turquoise

SUSHIS

Akagai	amande de mer	Masu	truite
Anago	anguille de mer	Nori	feuilles d'algues séchées
Aoyagi	palourde japonaise rouge	Ocha	thé vert
Ebi	crevette cuite à la vapeur	Saba	maquereau
Fugu	poisson-globe	Sake	saumon
Gari	lamelles de gingembre	Sashimi	poisson cru (sans riz)
Hamachi	thon à queue jaune	Shoyu	sauce de soja
Hirame	flétan	Sushi	riz vinaigré
Ika	calmar	Tako	pieuvre
Ikura	œufs de saumon	Tamago	omelette sucrée
Kaibashira	gros pétoncles	Tekka Maki	rouleau thon & riz
Kani	crabe cuit	Toro	thon gras
Kappa	concombre	Unagi	anguille d'eau douce
Kobashira	petits pétoncles	Uni	oursin
Maguro	thon	Wasabi	raifort japonais

FRANCS-TIREURS DE BAKER STREET

Les Francs-tireurs de Baker Street sont la "police secrète" de Sherlock Holmes : une douzaine de gamins des rues de Londres, placés sous les ordres d'un garçon dénommé Wiggins. Holmes les emploie pour collecter des renseignements là où lui-même ou la police se feraient repérer. Il paie chacun d'eux un shilling la journée, et offre une récompense d'une guinée à celui qui découvre un indice essentiel. Les Francs-tireurs n'apparaissent que dans trois enquêtes : *Une étude en rouge, Le Signe des Quatre, Le Tordu.*

LES 7 MERS

Antarctique · Arctique · Atlantique Nord · Atlantique Sud
Océan Indien · Pacifique Nord · Pacifique Sud

SECRÉTAIRES GÉNÉRAUX DE L'O.N.U.

1946–52	Trygve Lie	*Norvège*
1953–61	Dag Hammarskjöld	*Suède*
1961–71	U Thant	*Birmanie*
1972–81	Kurt Waldheim	*Autriche*
1982–91	Javier Pérez de Cuéllar	*Pérou*
1992–96	Boutros Boutros-Ghali	*Egypte*
1997–	Kofi Annan	*Ghana*

PORTRAITS SUR LES BILLETS AMÉRICAINS

George Washington .... $ 1	William McKinley.......... $ 500
Thomas Jefferson.............. $ 2	Grover Cleveland .... $ 1 000
Abraham Lincoln.............. $ 5	James Madison .... $ 5 000
Alexander Hamilton .... $ 10	Salmon P. Chase........ $ 10 000
Andrew Jackson.............. $ 20	Woodrow Wilson ..... $ 100 000
Ulysses S. Grant.............. $ 50	*[grosses coupures utilisées jadis pour les transactions entre États]*
Benjamin Franklin.......... $ 100	

FRÈRE & SŒURS BRONTË

Charlotte (1816-55) · Emily (1818-48) · Anne (1820-49) · Branwell (1817-48)

MORT INSOLITE DE QUELQUES ROIS BIRMANS

THEINHKO tué par un fermier dont il avait mangé les concombres sans lui en demander la permission (en 931). Par crainte du désordre, la reine introduisit clandestinement le fermier au palais et le revêtit des habits royaux. Proclamé roi sous le nom de NYAUNG-U SAWRHAN, on l'appela “le Roi Concombre”. Il transforma sa plantation de concombres en un jardin royal, plaisant et spacieux.

ANAWRAHTA encorné par un buffle lors d'une campagne militaire. (1077)

UZANA piétiné à mort par un éléphant. (1254)

NARATHIHAPATE forcé de prendre du poison sous la menace d'un poignard. (1287)

MINREKYAWSWA écrabouillé par son propre éléphant. (1417)

RAZADARIT mort en capturant des éléphants au lasso après s'être empêtré dans sa corde. (1423)

TABINSHWETI décapité par ses chambellans, à la poursuite d'un éléphant blanc imaginaire. (1551)

NANDABAYIN mort de rire quand un marchand italien lui apprit que Venise était une république et n'avait pas de roi. (1599)

SPÉCIFICATIONS DES BASSINS OLYMPIQUES

Longueur.................... 50 m	Largeur de couloir.......... 2,5 m
Largeur........................ 25 m	Température de l'eau .. 25°–28° C
Nombre de couloirs 8	Intensité lumineuse .... >1500 lux

« JE T'AIME »

Afrikaans .... Ek het jou lief
Allemand .... Ich liebe dich
Anglais .... I love you
Arabe .... Ohiboke *[à une femme]* ; Ohiboki *[à un homme]*
Arménien .... Yes kez si'rumem
Braille .... ⠚⠑ ⠞ ⠁⠊⠍⠑
Bulgare .... Obicham te
Catalan .... T'estimo
Chinois (Cantonais) .... Ngor oi ley
Créole (Martinique & Guadeloupe) .... Men ainmainw
Danois .... Jeg elsker dig
Espagnol .... Te quiero
Esperanto .... Mi amas vin
Esquimau (Inuit) .... Ounakrodiwakit
Finnois .... Minä rakastan sinua
Gaélique (Écosse) .... Tha gradh agam ort
Gaélique (Irlande) .... Tá mé i ngrá leat
Gallois .... 'Rwy'n dy garu di
Grec ancien .... Philo se
Hawaïen .... Aloha wau ia oi
Hébreu .... Ani ohev otach *[à une femme]* ; Ani ohevet otcha *[à un homme]*
Hindi .... Main tumse pyar karta hoon
Hongrois .... Szeretlek
Italien .... Ti amo
Japonais .... Aishiteru ; Aishite imasu
Kurde .... Ez te hezdikhem ; Min te xushvet
Latin .... Te amo
Lituanien .... As tave myliu
Morse .... ·——— · / — / ·— ·· —— ·
Néerlandais .... Ik hou van je
Persan (Farsi) .... Mahn doostat daram ; Asheghetam
Polonais .... Kocham Cię
Portugais .... Eu te amo
Roumain .... Te iubesc
Russe .... Ya tiebia lioubliou
Serbo-croate .... Volim te ; Ljubim te
Suédois .... Jag älskar dig
Suisse allemand .... Ch'ha di gärn
Tchèque .... Miluji te
Thaï .... Phom rak khun *[à une femme]* ; Chan rak khun *[à un homme]*
Turc .... Seni seviyorum
Yiddish .... Ikh hob dikh lib
Zoulou .... Ngiyakuthanda

SWIFT ET LA VIEILLESSE

En 1699, alors qu'il était âgé de 32 ans, Jonathan Swift consigna une série de *Résolutions pour l'époque où je deviendrai vieux*, dont voici la liste :

Ne point épouser une jeune femme.

Ne point fréquenter les jeunes gens, à moins qu'ils ne le désirent.

N'être point maussade, ni morose, ni soupçonneux.

Ne pas mépriser le présent, ses manières de voir, son genre d'esprit, ses modes, ses hommes, ses guerres, &c.

Ne point aimer les enfants.

Ne pas rabâcher sans cesse la même histoire aux mêmes gens.

Ne pas être cupide.

Ne pas négliger la décence ou la propreté, de peur de devenir dégoûtant.

N'être pas trop sévère pour les jeunes gens, mais faire une large part à leurs enfantillages et à leurs faiblesses.

Ne pas être trop prodigue d'avis, et n'en donner qu'à ceux qui en demandent.

Prier quelque bon ami de me prévenir de celles de ces résolutions que je viole ou néglige, et en quoi, et me réformer en conséquence.

Ne pas trop parler, surtout de moi.

Ne pas me vanter de ma beauté passée, ni de ma force, ni de ma faveur auprès des dames, &c.

Ne pas écouter les flatteries, ni me figurer que je puis être aimé d'une jeune femme ; *et eos qui hæreditatem captant, odisse ac vitare*†.

Ne pas être tranchant ni entêté dans mes opinions.

Ne pas me donner pour observer toutes ces règles, de crainte que je n'en observe aucune.

† *et les captateurs d'héritage, les haïr & les fuir.*

QUELQUES GAUCHERS

Lewis Carroll	César	Léonard de Vinci	H.G. Wells
J.S. Bach	Jack l'Éventreur	Nelson	Bill Clinton
Charlie Chaplin	Nietzsche	Prince Charles	Bismarck
Albert Einstein	Fidel Castro	Goethe	Marilyn Monroe
Bill Gates	Pelé	Paul McCartney	Jimi Hendrix
Cole Porter	Napoléon	M.C. Escher	Paul Klee
Greta Garbo	Phil Collins	Bob Dylan	Élisabeth II

COUPLES DE MOTS

à gauche en regardant la proue	bâbord & tribord	*à droite en regardant la proue*
en haut du courant	amont & aval	*en bas du courant*
moustache tombante	Dupond & Dupont	*moustache en croc*
fléchit l'avant-bras	biceps & triceps	*étend l'avant-bras*
haut-parleur d'aigus	tweeter & woofer	*haut-parleur de basses*
petit et fluet	Laurel & Hardy	*grand et gros*
symbole de l'armée	sabre & goupillon	*symbole de l'Église*
descendant	stalactite & stalagmite	*ascendant*
tourbillon	Charybde & Scylla	*monstre marin*
axe horizontal	*x* & *y*	*axe vertical*
versant sud	adret & ubac	*versant nord*

COULEURS & SYMBOLISME HÉRALDIQUES

Couleur	*Signification symbolique*	*Pierre précieuse*	*Dénomination héraldique*	*Association astrologique*
Jaune	Foi	Topaze	Or	Soleil
Blanc	Innocence	Perle	Argent	Lune
Bleu	Fidélité	Saphir	Azur	Jupiter
Rouge sang†	Force	Sardonyx	Sanguine	Queue du Dragon
Vert	Amour	Émeraude	Sinople	Vénus
Noir	Prudence	Diamant	Sable	Saturne
Bordeaux	Tempérance	Améthyste	Pourpre	Mercure
Orangé	Joie	Hyacinthe	Tanné	Tête du Dragon

† *L'héraldique française inclut plutôt dans ses couleurs majeures un rouge vif dénommé Gueules.*

ÉQUIVALENCES ENTRE LANGAGE COURANT & TERMINOLOGIE MÉDICALE

Gargouillis	Borborygme
Sillon entre la lèvre supérieure et le nez	Philtrum
Mal de mer, mal des transports	Cinétose *ou* naupathie
Tennis-elbow	Synovite du coude
Luette	Uvule
Pied d'athlète	Épidermophytose interdigitale *ou* tinea pedis
Grain de beauté	Naevus
Loucherie	Strabisme
Oignon du gros orteil	Hallux valgus
Creux dans le torse, thorax en entonnoir	Pectus excavatum

NOUVELLES EN 3 LIGNES

Au cours de l'année 1906, l'écrivain anarchiste Félix Fénéon collabora anonymement à la rubrique des faits divers du journal *Le Matin*, rubrique intitulée *Nouvelles en trois lignes.* Ces "brèves" anecdotiques sont toujours appréciées pour la perfection de leur style et pour leur ironie grinçante.

Quittée par Delorce, Cécile Ward refusa de le reprendre, sauf mariage. Il la poignarda, cette clause lui ayant paru scandaleuse.

"Si mon candidat échoue, je me tue", avait déclaré M. Bellavoine, de Fresquienne (Seine-Inférieure). Il s'est tué.

C'est au cochonnet que l'apoplexie a terrassé M. André, 75 ans, de Levallois. Sa boule roulait encore qu'il n'était déjà plus.

Au dénombrement, le maire de Montirat (Tarn) majora les chiffres. Ce souci de régir un grand peuple lui vaut sa révocation.

Comme son train stoppait, Mme Parlucy, de Nanterre, ouvrit, se pencha. Passa un express qui brisa la tête et la portière.

Trop de gens annoncent : "Je vous couperai les oreilles !" Vasson, d'Issy, ne dit mot à Biluet, mais il l'essorilla bel et bien.

Eug. Périchot, de Pailles, près Saint-Maixent, avait chez lui Mme Lemartrier. Eug. Dupuis vint l'y chercher. Eux le tuèrent. L'amour.

Au lieu de 175.000 francs dans la caisse de réserve en dépôt chez le receveur des contributions directes de Sousse, – rien.

Radieux : "J'aurais pu avoir plus !", s'est écrié l'assassin Lebret, condamné, à Rouen, aux travaux forcés à perpétuité.

Les Blonquet suaient l'alcool. Un cabaretier de Saint-Maur osa leur refuser à boire. Ils le frappèrent d'un poignard indigné.

Il avait parié de boire d'affilée quinze absinthes en mangeant un kilo de bœuf. À la neuvième, Théophile Papin, d'Ivry, s'écroula.

M. Abel Bonnard, de Villeneuve-Saint-Georges, qui jouait au billard, s'est crevé l'œil gauche en tombant sur sa queue.

ANCIENS NOMS DES CLUBS DE GOLF

Il n'existe pas de correspondance stricte entre les nomenclatures ancienne et moderne des clubs de golf. Quelques rapprochements approximatifs :

Bois No. 1 .... Play Club, Driver
No. 2 .... Brassie
No. 3 .... Spoon
No. 4 .... Baffy

Fers No. 1 ..... Driving Iron, Cleek
No. 2 .... Cleek, Midiron
No. 3 .... Mid-Mashie
No. 4 .... Jigger, Mashie Iron
No. 5 .... Mashie
No. 6 .... Spade Mashie
No. 7 .... Mashie-Niblick
No. 8 .... Pitching Mashie
No. 9 .... Niblick, Baffing Spoon
No. 10 .... Wedge *ou* Jigger
Blank .... Putter

GMT+2

C'est en 1891 que l'heure de Paris (48°50'N 0°09'21"E) fut adoptée comme heure légale unique sur tout le territoire national. En 1911, la France adhéra au système universel des fuseaux horaires et se régla sur l'heure du méridien de Greenwich (GMT) en reculant sa nouvelle heure de 9'21". L'heure d'été fut introduite le 14 juin 1916 : par convention, six mois par an, l'heure légale était avancée d'une heure. Le 5 mai 1941, la France occupée passait à l'heure allemande par un décalage permanent d'une heure. Ce décalage ne fut pas remis en cause à la Libération ; en revanche, l'heure d'été fut abrogée. Rétablie le 28 juin 1976, elle fut généralisée à toute l'Europe en 1997 (directive 97/77/CE du 2 juillet 1997). Depuis 1976, l'heure française alterne donc entre GMT+1 l'hiver et GMT+2 l'été.

ANNIVERSAIRES DE MARIAGE

1 an .... *noces de* .... coton
2 ans .... cuir
3 ans...................... froment
4 ans.......................... cire
5 ans .... bois
6 ans .... chypre
7 ans .... laine
8 ans .... coquelicot
9 ans....................... faïence
10 ans........................ étain
11 ans .... corail
12 ans .... soie
13 ans...................... muguet
14 ans .... plomb
15 ans........................ cristal
16 ans....................... saphir
17 ans .... rose
18 ans .... turquoise
19 ans.................... cretonne
20 ans .... porcelaine
21 ans .... opale
22 ans....................... bronze
23 ans......................... béryl
24 ans .... satin
25 ans .... argent
26 ans........................... jade
27 ans .... acajou
28 ans........................ nickel
29 ans .... *noces de* ...... velours
30 ans........................... perle
31 ans .... basane
32 ans.......................... cuivre
33 ans .... porphyre
34 ans .... ambre
35 ans........................... rubis
36 ans .... mousseline
37 ans .... papier
38 ans .... mercure
39 ans .... crêpe
40 ans.................... émeraude
41 ans .... fer
42 ans .... nacre
43 ans .... flanelle
44 ans .... topaze
45 ans .... vermeil
46 ans....................... lavande
47 ans .... cachemire
48 ans .... améthyste
49 ans .... cèdre
50 ans.............................. or
55 ans..................... orchidée
60 ans .... diamant
65 ans .... palissandre
70 ans...................... platine
75 ans....................... albâtre
80 ans......................... chêne

POSITIONS SUR UN TERRAIN DE CRICKET

batteur

lanceur

LÉGENDE

a .... gardien	i. .... mid wicket	r. .... cover
b .... leg slip	j ..... deep mid wicket	s .... point
c .... leg gully	k .... square leg	t. .... silly point
d ..... short square leg	l ...... deep square leg	u .... silly mid off
e. .... short leg	m .... mid on	v. .... gully
f .... forward short leg	n .... long on	w.... slips (first–third)
g .... silly mid on	o. .... mid off	x .... third man
h.... short mid wicket	p .... long off	y .... fine leg
	q .... extra cover	z. .... deep fine leg

[Ce schéma présuppose – évidemment – que le batteur est droitier.]

PHOBIES

Batrachophobie .... peur des grenouilles & des batraciens
Pogonophobie .... peur des barbes
Tératophobie .... peur des monstres
Kéraunothnetophobie .... peur de la chute des satellites
Taphophobie .... peur d'être enterré vivant
Apophathodiaphulatophobie .... peur de la constipation
Scopophobie .... peur d'être vu
Ptéronophobie .... peur d'être chatouillé avec une plume
Climacophobie .... peur des échelles & des escaliers
Hypégiaphobie .... peur des responsabilités
Optophobie .... peur d'ouvrir les yeux
Aphenphosmophobie .... peur d'être touché
Éreuthophobie .... peur de rougir
Coulrophobie .... peur des clowns
Autocheïrothanatophobie .... peur du suicide
Caïnophobie .... peur de la nouveauté
Bélonéphobie .... peur des épingles
Arachnophobie .... peur des araignées
Ochlophobie .... peur de la foule
Atychiphobie .... peur d'échouer
Catagélophobie .... peur du ridicule
Leucosélophobie .... peur de la page blanche
Sciophobie .... peur des ombres
Doraphobie .... peur de la fourrure
Bitrochosophobie .... peur des bicyclettes
Athazagoraphie .... peur d'être oublié
Péladophobie .... peur des chauves
Lachanophobie .... peur des légumes
Rhytiphobie .... peur d'avoir des rides
Phasmophobie .... peur des fantômes
Ophiophobie .... peur des serpents
Iatrophobie .... peur des médecins
Chromatophobie .... peur des couleurs
Onomatophobie .... peur d'un nom ou d'un mot
Trichophobie .... peur des poils
Stygiophobie .... peur de l'enfer
Kénophobie .... peur des espaces vides
Triskaïdékaphobie .... peur du nombre 13
Atélophobie .... peur de l'imperfection
Acarophobie .... peur des piqûres d'insectes
Chionophobie .... peur de la neige
Pantophobie .... peur de tout
Phobophobie .... peur d'avoir peur

LE JARGON DES COQUILLARDS

Le 18 décembre 1455, à Dijon, dix individus furent bouillis et pendus pour avoir fait partie d'une bande de brigands très active en Bourgogne dans ces années-là. Ils se donnaient le nom de Compagnons de la Coquille, et se servaient d'une langue secrète pour communiquer entre eux sans être compris des profanes. Leur procès permit d'éclairer un peu ce jargon que François Villon – fugitivement affilié à la bande – emploie dans plusieurs ballades. Voici quelques-uns des mots et expressions utilisés par les Coquillards, avec leur signification ; les citations sont tirées des minutes du procès.

ARQUES · les dés à jouer.

AUBERT *ou* CAIRE · l'argent.

BALADEUR · “un baladeur c'est celluy qui va devant parler à quelque homme d'église ou aultre à qui ils vueilent bailler quelque faux lingot, chainne ou pierre contre-faite.”

BAZIR · estourbir, tuer quelqu'un d'un coup sur la tête.

BEAU-SOYANT · beau parleur qui sait abuser les juges.

BECQUER · regarder, dévisager.

BLANC, SIRE, CORNIER *ou* DUPE · “ung homme simple qui ne se cognoit en leurs sciences”, un naïf que l'on peut aisément tromper.

BLANCHIR LA MARINE *ou* LA ROUHE · échapper à la justice et à la “question” après avoir été pris.

CANTONNADE · “Quand ilz sentent qu'ilz sont poursuivis de justice … ils se détournent à coup et prendent ung aultre chemin. Cela s'appelle bailler la cantonnade.”

ENVOYEUR · un meurtrier.

ÉTOFFE ! · “Quand l'ung d'eux dit estoffe, c'est à dire qu'il demande son butin de quelque gaing.”

FERME EN LA MAUHE · “c'est celluy qui se garde bien de confesser riens à justice lorsqu'il est prins et interrogué.”

FEULLOUZE · la bourse.

GAFFRES · les sergents.

GASCATRE · bandit novice : “c'est un apprentiz qui n'est pas encoir bien subtil en la science de la coquille.”

GODIZ · “c'est un homme qui a argent et est riche.”

JOUR · la torture.

LONG · “c'est un homme qui est bien subtil en toutes les sciences [du vol] ou aulcunes d'icelles.”

MOUCHER LA MARINE · dénoncer un complice, moucharder.

ROI DAVID, GIROFLÉE · différents crochets à crocheter les serrures.

TAQUINADE · les cartes à jouer.

LE LABYRINTHE DE HAMPTON COURT

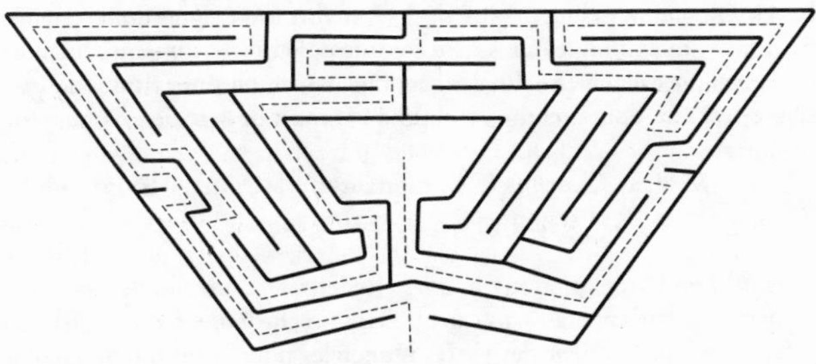

L'actuel labyrinthe du jardin de Hampton Court fut planté entre 1689 et 1695 par George London et Henry Wise, pour Guillaume d'Orange. On pense qu'il remplace un premier labyrinthe planté du temps où Hampton Court était la propriété du cardinal Wolsey. Entièrement constitué à l'origine de taillis de hêtres blancs, le labyrinthe a été réparé et rapiécé avec des haies d'essences variées au fil des années. Defoe l'a qualifié de "dédale" ; en réalité, le labyrinthe est plutôt simple et sans détours. Ainsi que l'a noté quelqu'un, "il est juste assez compliqué pour soutenir l'intérêt et susciter l'amusement, sans être enchevêtré à l'excès, ce qui serait aussi inutile que fastidieux". Le labyrinthe occupe une surface d'à peu près 1 350 m², et ses allées mises bout à bout s'étendent sur environ 800 m.

ÉCHELLE FUJITA-PEARSON D'INTENSITÉ DES TORNADES

km/h	DEGRÉ	DÉGÂTS	CATÉGORIE
64-116	F0	*arbres, enseignes, cheminées endommagés*	légère
117-179	F1	*toitures endommagées ; voitures secouées*	modérée
180-251	F2	*toitures emportées ; voitures retournées*	considérable
252-332	F3	*forêts déracinées ; voitures emportées*	sévère
333–419	F4	*maisons détruites ; objets lourds emportés*	dévastatrice
420–512	F5	*constructions rasées ; destruction massive*	incroyable
>512	F6	*théorique ; improbable sur terre*	——

CAVIAR

Le caviar tire son nom du terme *khavia*, qui désigne les œufs de poisson en turc. On le prépare traditionnellement avec les œufs de trois espèces d'esturgeons : BÉLUGA, OSCIÈTRE & SÉVRUGA.

CHRONOGRAMMES

Les chronogrammes sont des inscriptions en forme d'énigme dont certaines des lettres, quand on les considère comme des chiffres romains, forment la date d'un événement. En langue anglaise, le chronogramme le plus célèbre est sans doute celui-ci, composé à la mort de la reine Élisabeth Ière :

My Day Closed Is In Immortality† = MDCIII = 1603

† *Mon jour s'est clos dans l'immortalité*

Il s'agit d'un chronogramme *naturel* : les lettres y sont disposées de telle sorte que la date apparaît sans calcul. Dans un chronogramme *additionné*, il faut totaliser la valeur des lettres numérales pour la découvrir, comme dans celui-ci où est chiffrée l'année du grand incendie de Londres :

LorD haVe MerCI Vpon Vs‡ = L+D+V+M+C+I+V+V = 1666

‡ *Seigneur, ayez pitié de nous*

Ou dans ces vers, inscrits sur le clocher de l'horloge du Palais à Paris :

CharLes roy VoLt en Ce CLoCher
Cette nobLe CLoChe aCroCher,
FaItte poVr sonner ChaCVne heVre
= C+L+V+L+C+C+L+C+C+L+C+L+C+C+C+I+V+C+C+V+V = 1371

Le pamphlétaire Joseph Addison (1672-1719) ne voyait dans les chronogrammes qu'"une invention de moines ignares", et ironisait sur ces "petites astuces qu'il faut beaucoup de temps et peu d'aptitude pour composer".

IVY LEAGUE

L'expression *Ivy League* (Ligue du Lierre) aurait été forgée par Stanley Woodward, chroniqueur sportif au *New York Herald Tribune*, au début des années 1930. Elle désigne l'ensemble que forment les universités les plus anciennes des États-Unis, toutes situées dans le Nord-Est :

Brown · Columbia · Cornell · Dartmouth · Harvard
Université de Pennsylvanie · Princeton · Yale

LES PARCS ROYAUX DE LONDRES

St James's Park · Hyde Park · Kensington Gardens · Greenwich Park
Bushy Park · Richmond Park · Green Park · Regent's Park

QUELQUES DEVISES

QUE SAIS-JE ? .... Montaigne
JE MAINTIENDRAI .... Guillaume le Taciturne
NI VOUS SANS MOI · NI MOI SANS VOUS .... Tristan & Yseut
QUI S'Y FROTTE S'Y PIQUE .... Ville de Nancy
CITIUS · ALTIUS · FORTIUS *[Plus vite, plus haut, plus fort]* .. Jeux Olympiques
JAMAIS .... Charles VI
NEC PLURIBUS IMPAR *[À nul autre pareil]* .... Louis XIV
KRAFT IM RECHT *[La force dans le droit]* .... Prince de Metternich
LE MONDE N'EST QU'ABUS .... Jeanne de Commynes
COMINUS ET EMINUS *[Je frappe de près comme de loin]* .... Louis XII
HONNI SOIT QUI MAL Y PENSE .... Ordre de la Jarretière
QUI BENE LATUIT BENE VIXIT *[A bien vécu qui s'est bien caché]* .... Descartes
JE ME SOUVIENS .... Québec
SOLI DEO GLORIA *[Gloire à Dieu seul]* .... J.S. Bach
RIEN NE M'EST PLUS · PLUS NE M'EST RIEN .... Valentine de Milan
QUO NON ASCENDAM ? *[Jusqu'où ne monterai-je pas ?]* .... Nicolas Foucquet
HONNEUR ET PATRIE .... Légion d'Honneur
MOBILIS IN MOBILE *[Mobile dans l'élément mobile]* .... Capitaine Nemo
SANS PEUR ET SANS REPROCHE .... Bayard
HIC ET UBIQUE TERRARUM *[Ici & partout sur la terre]* ... Université de Paris
À CŒURS VAILLANTS RIEN IMPOSSIBLE .... Jacques Cœur
MOULT ME TARDE .... Ducs de Bourgogne & Ville de Dijon
AUT CÆSAR · AUT NIHIL *[Ou César, ou rien]* .... César Borgia
ALS ICH KAN *[Comme je peux]* .... Jan van Eyck

L'ÉCHELLE DE BEAUFORT

force	*hauteur des vagues (m)*	*nœuds*	*km/h*	*terme descriptif*
0	—	<1	<1	Calme
1	0,1	1–3	1–5	Très légère brise
2	0,2	4–6	6–11	Légère brise
3	0,6	7–10	12–19	Petite brise
4	1	11–16	20–28	Jolie brise
5	2	17–21	29–38	Bonne brise
6	3	22–27	39–49	Vent frais
7	4	28–33	50–61	Grand frais
8	5,5	34–40	62–74	Coup de vent
9	7	41–47	75–88	Fort coup de vent
10	9	48–55	89–102	Tempête
11	11,5	56–63	103–117	Violente tempête
12	>14	≥64	≥118	Ouragan

DEGRÉS DE LA FRANC-MAÇONNERIE

Quoique le sujet donne lieu à mainte supputation et dénégation, on prétend la Franc-Maçonnerie organisée selon une hiérarchie de 33 degrés :

1°	Apprenti	1°
2°	Compagnon	2°
3°	Maître	3°
4°	Maître Secret	4°
5°	Maître Parfait	5°
6°	Secrétaire Intime	6°
7°	Prévôt & Juge	7°
8°	Intendant des Bâtiments	8°
9°	Maître Élu des Neuf	9°
10°	Illustre Élu des Quinze	10°
11°	Sublime Chevalier Élu	11°
12°	Grand Maître Architecte	12°
13°	Chevalier de l'Arche Royale	13°
14°	Grand Élu de la Voûte Sacrée, Sublime Maçon	14°
15°	Chevalier d'Orient ou de l'Épée	15°
16°	Prince de Jérusalem	16°
17°	Chevalier d'Orient & d'Occident	17°
18°	Chevalier de l'Aigle & du Pélican, Souverain Prince Rose-Croix d'Heredom	18°
19°	Grand Pontife, Sublime Écossais	19°
20°	Vénérable Grand Maître de toutes les Loges	20°
21°	Chevalier Prussien, Patriarche Noachite	21°
22°	Royale Hache, Prince du Liban	22°
23°	Chef du Tabernacle	23°
24°	Prince du Tabernacle	24°
25°	Chevalier du Serpent d'Airain	25°
26°	Prince de Merci	26°
27°	Grand Commandeur du Temple	27°
28°	Chevalier du Soleil, Prince Adepte	28°
29°	Chevalier de Saint André d'Écosse	29°
30°	Grand Élu Chevalier Kadosh, Chevalier de l'Aigle Blanc & Noir	30°
31°	Grand Inspecteur Inquisiteur Commandeur	31°
32°	Sublime Prince du Royal Secret	32°
33°	Souverain Grand Inspecteur Général	33°

LES 7 NAINS

Atchoum · Dormeur · Grincheux · Joyeux · Prof · Simplet · Timide

DURETÉ DES MINES DE CRAYON

L'évaluation de la dureté des mines de crayon remonte aux travaux de Nicolas-Jacques Conté, l'inventeur (*ca.* 1795) des techniques permettant de contrôler précisément la proportion de graphite et d'argile entrant dans leur fabrication. Le système de Conté était une échelle numérique où 1 correspondait aux mines les plus dures, 4 aux mines les plus tendres. Par la suite, les manufactures britanniques créèrent leur propre échelle, à base de lettres : les mines les plus tendres y étaient affectées du préfixe B *(black)*, les plus dures du préfixe H *(hard)*. Avec le temps, les deux systèmes ont fusionné en une seule échelle, d'usage courant en Europe :

mines dures – 9H, 8H ... 2H, H, F, HB, B, 2B ... 8B, 9B – *mines tendres*

Cette échelle est utilisée aux États-Unis, mais la plupart des manufactures américaines lui préfèrent un code numérique qui reprend l'échelle de Conté, inversée : #1 correspond aux mines les plus tendres, #4 aux plus dures. Voici plus ou moins les équivalences entre les deux systèmes :

mines tendres – #1 = B, #2 = HB, #2½ = F, #3 = H, #4 = 2H – *mines dures*

Tous ces systèmes ont quelque chose d'arbitraire : aucune définition stricte de la dureté des mines de crayon n'a jamais été universellement adoptée.

SEABREEZE

2 vol. de vodka · 3 vol. de jus de canneberges ou d'airelles
2 vol. de jus de pamplemousse · tranche de citron vert
Mélanger les ingrédients avec de la glace pilée et servir dans un grand verre.

SYSTÈMES DE GOUVERNEMENT

dirigeant(s)	*dénomination*
tous à égalité	pantisocratie
l'armée	militocratie
les philosophes	sophocratie
les fonctionnaires	bureaucratie
les plus âgés	gérontocratie
les hommes	phallocratie
la noblesse	aristocratie
un seul individu	autocratie
le peuple	démocratie
les plus favorisés	timocratie
les prêtres	théocratie
la foule	ochlocratie
un roi	monarchie
les saints	hagiarchie
un petit groupe	oligarchie
les "experts"	technocratie
les courtisanes	pornocratie
les riches	ploutocratie
les femmes	gynarchie
personne	anarchie
les pires individus	kakistocratie

PETIT LEXIQUE TYPOGRAPHIQUE

INTERLIGNAGE espace séparant les lignes de pied du texte.

CRÉNAGE ajustement de l'espace séparant une paire de caractères, pour une lecture plus fluide lorsque l'un est en saillie sur l'autre.

To To

crénage

ESPACE INTERMOT espace qui sépare les mots d'une ligne. De valeur constante si l'alignement est libre à droite, il varie lorsque le texte est justifié (comme ici).

GOUTIÈRE espace séparant deux colonnes.

TIRETS Il en existe trois sortes : - (trait-d'union) – (tiret moyen) — (tiret long).

FAMILLES DE CARACTÈRES

Sans empattement
avec empattement
scriptes

INTERLETTRAGE L'espacement des lettres d'un mot, qui peut être modifié pour améliorer la lisibilité. Ne pas confondre avec le crénage, qui ne concerne que des paires de caractères. À n'employer qu'avec parcimonie, et seulement dans les titres en capitales : "quelqu'un capable d'interlettrer du texte en minuscules volerait des moutons aussi bien", disait Frederic Goudy.

LIGATURE Fusion de deux caractères pour éviter qu'ils n'entrent en collision et gênent la lecture : ainsi

ﬁ plutôt que fi

FILETS de ¼ de point, ½ pt, 1–10 pt

JUSTIFICATION La façon dont le texte s'écoule de gauche à droite : aligné à gauche, aligné à droite, centré, ou justifié s'il occupe tout l'espace de la marge gauche à la marge droite.

STRUCTURE DES CARACTÈRES

TAILLES DE CARACTÈRES, EN POINTS

4 5 6 7 8 9 10 11 12 14 18 24 36 48

FORMATS DE PAPIER NORMALISÉS

format	*mm*
A10	26 x 37
A9	37 x 52
A8	52 x 74
A7	74 x 105
A6	105 x 148
A5	148 x 210
A4	210 x 297
A3	297 x 420
A2	420 x 594
A1	594 x 841
A0	841 x 1189
2A0	1189 x 1682
4A0	1682 x 2378

OBTENIR UN SURCLASSEMENT

Faites fabriquer un tampon d'après le modèle ci-contre. Tamponnez avec vos billets d'avion. Glissez-les sous enveloppe ; cachetez. Présentez l'enveloppe au comptoir d'embarquement avec une parfaite assurance.

CLASSIFICATION BIBLIOGRAPHIQUE DÉCIMALE DE DEWEY

000–099	Généralités
100–199	Philosophie
200–299	Religion
300–399	Sciences sociales
400–499	Langues
500–599	Sciences
600–699	Sciences appliquées
700–799	Arts et loisirs
800–899	Littérature
900–999	Géographie, histoire

395 Savoir-vivre, bonnes manières · 399 Mœurs de guerre, diplomatie
441 Français : orthographe & phonétique · 648 Travaux d'entretien
564 Mollusques & molluscoïdes fossiles · 624 Génie civil
674 Bois, liège (Technologie et produits)

LA LIGUE ARABE

Fondée au Caire en 1945, la Ligue arabe ou Ligue des États arabes vise à "promouvoir une coopération économique, sociale, politique et militaire".

Algérie · Arabie saoudite · Bahreïn · Comores · Djibouti
Égypte · Émirats arabes unis · Irak · Jordanie · Koweit · Liban
Libye · Maroc · Mauritanie · Oman · Palestine · Qatar
Somalie · Soudan · Syrie · Tunisie · Yémen

HITCHCOCK DANS SES FILMS

C'est dans son troisième film, *The Lodger* (1926), qu'Alfred Hitchcock fit pour la première fois deux apparitions comme figurant. Ces brèves apparitions *(cameos)* devinrent vite un jeu : il en glissa une dans chacun de ses films à partir de *Rebecca* (1940) – souvent dès les premières minutes, pour éviter que ses fans ne perdent de vue l'intrigue en les guettant. Voici la description et le minutage de quelques-unes de ces 37 *cameos*, remarquables pour leur ingéniosité, leur poésie insolite ou leur humour noir :

Lifeboat (1944)
En photo sur un journal, dans une publicité vantant un produit amaigrissant ("AVANT/APRÈS"). *[à 25']*

La Maison du Dr. Edwardes (1947)
Sort de l'ascenseur de l'Empire State Hotel avec un étui à violon. *[à 36']*

Le Procès Paradine (1947)
Descend du train en portant un étui à violoncelle. *[à 36']*

L'Inconnu du Nord-Express (1951)
Monte dans le train avec un étui à contrebasse lorsque Guy Haines descend en gare de Metcalf. *[à 10']*

Le Crime était presque parfait (1954)
Figure parmi les anciens élèves sur la photo-souvenir accrochée au mur chez Tom Wendice. *[à 13']*

Sueurs froides (1958)
Passe devant le chantier naval avec l'étui d'un cor d'harmonie. *[à 10']*

La Mort aux trousses (1959)
Manque le bus de justesse. *[à 2']*

Fenêtre sur cour (1960)
Remonte la pendule dans l'appartement du compositeur. *[à 25']*

Psychose (1960)
Attend dans la rue, un chapeau de cow-boy sur la tête, devant le bureau de Marion Crane. *[à 10']*

Les Oiseaux (1963)
Sort de la boutique du marchand d'animaux en tenant en laisse ses deux terriers blancs. *[à 2']*

Le Rideau déchiré (1966)
Assis dans le hall de l'Hôtel d'Angleterre avec un bébé dans les bras ; la musique imite *La Marche funèbre pour une marionnette.* *[à 8']*

L'Étau (1969)
Dans un fauteuil roulant poussé par une infirmière à l'aéroport de La Guardia ; il se lève et s'éloigne. *[à 28']*

Complot de famille (1976)
En silhouette derrière la porte en verre dépoli du Bureau des Certificats de naissance & de décès. *[à 41']*

VERTUS

CARDINALES — Justice · Force · Tempérance · Prudence
THÉOLOGALES — Foi · Espérance · Charité

LES ÉRINYES

Filles de Gaïa, nées du sang versé par Ouranos lorsqu'il fut émasculé par Cronos, les Érinyes (ou Furies) incarnaient dans la mythologie grecque la conscience morale, le châtiment et la vengeance. Elles étaient trois :

MÉGÈRE · *la jalouse*
TISIPHONÉ · *la vengeresse du meurtre*
ALECTO · *l'implacable*

Les Érinyes étaient généralement représentées comme des déesses ailées à la chevelure de serpents, dont les yeux dégouttaient de sang. Elles poursuivaient leur victime sans lui laisser aucun répit, jusqu'à ce que le coupable périsse dans la fureur, la folie et le remords. Leur puissance était si redoutable que dans l'Antiquité, les Grecs n'osaient pas prononcer leur nom véritable de crainte de déclencher leur colère : par euphémisme ils les nommaient les Euménides – autrement dit les Bienveillantes.

ÉMOTICÔNES

:-)	salut ; content	{:-)	porte une perruque
;-)	clin d'œil	+-:-)	le Pape
:-(	pas content	:-Q	fume
:-I	indifférent	:-?	fume la pipe
:-D	rigolard	:-7	fume le cigare
:->	sarcastique	:-/	sceptique
>:->	satanique	C=:-)	cuisinier
:-\	heu…	@:-)	porte un turban
:-o	waouh !	:-)8	porte un nœud-pap'
:-C	bouche bée	!-(	œil au beurre noir
:-,	narquois	5:-)	Elvis
:-ll	en colère	:,(	larme à l'œil
:-p	tire la langue	=):-)=	Abraham Lincoln
:-X	bouche cousue	%-)	ébloui
:-}	moustachu	*<:-)	le père Noël
(-:	gaucher	0:-)	petit saint
:*)	saoul	:-#	porte un appareil
[:]	robot	:-@	crier
8-)	lunettes de soleil	*:-o)	clown
B:-)	lunettes sur le front	@}->--	rose
:-{}	rouge à lèvres	~(:-)	Tintin

LES 7 PÉCHÉS CAPITAUX

Orgueil · Avarice · Luxure · Envie · Gourmandise · Colère · Paresse

ADDITIFS E

100–199 .... colorants
200–299 .... conservateurs
300–399 .... antioxydants, phosphates, agents de texture
400–499 .... épaississants, gélifiants, phosphates, émulsifiants
500–599 .... sels & composés
600–699 .... exhausteurs de goût
700–899 .... *additifs non destinés à l'alimentation humaine*
900–999 .... agents d'enrobage, gaz, édulcorants
1000–1399 .... divers
1400–1499 .... amidon modifié

Exemples : E150a caramel ordinaire · E175 or · E356 adipate de sodium
E464 hydroxypropylméthylcellulose · E948 oxygène
E403 alginate d'ammonium · E422 glycérol · E553b talc · E967 xylitol

LES VOYAGES DE GULLIVER

Ses voyages ont conduit Lemuel Gulliver à Lilliput, Brobdingnag, Laputa, Balnibarbi, Luggnagg, Glubbdubdrib, au Japon et chez les Houyhnhnms.

SERGENT PEPPER

La liste qui suit énumère quelques-unes des célébrités représentées sur la pochette de l'album *Sgt. Pepper* des Beatles (1967), réalisée par Peter Blake.

Aleister Crowley	Tony Curtis	Marlon Brando
Mae West	Wallace Berman	Tom Mix
Lenny Bruce	Tommy Handley	Albert Einstein
Karlheinz Stockhausen	Marilyn Monroe	Oscar Wilde
W.C. Fields	William Burroughs	Tyrone Power
Carl Gustav Jung	Richard Lindner	Larry Bell
Edgar Allan Poe	Oliver Hardy	Johnny Weissmuller
Fred Astaire	Karl Marx	Stephen Crane
Richard Merkin	H.G. Wells	Issy Bonn
Huntz Hall	Stuart Sutcliffe	Albert Stubbins
Simon Rodia	Dylan Thomas	Lewis Carroll
Bob Dylan	Dion	T.E. Lawrence
Aubrey Beardsley	David Livingstone	Sonny Liston
Sir Robert Peel	Stan Laurel	Marlene Dietrich
Aldous Huxley	George Bernard Shaw	Diana Dors
Terry Southern	Max Miller	Shirley Temple

L'ALPHABET EN LANGUE DES SIGNES

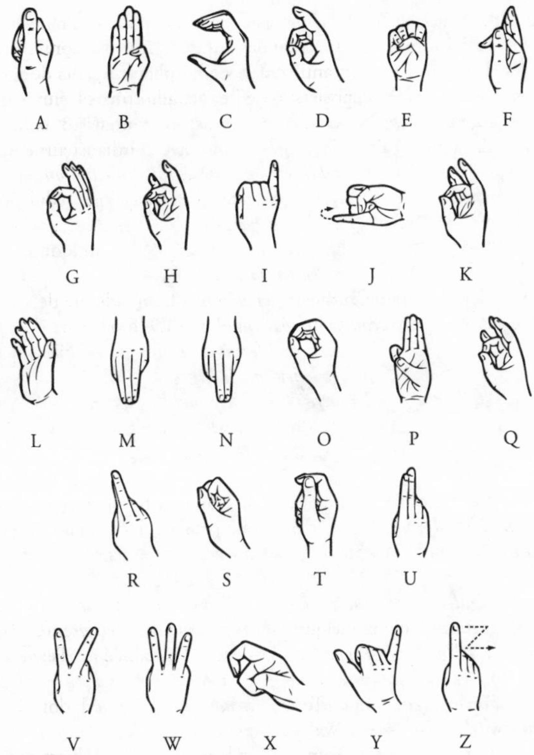

LES TOASTS DES OFFICIERS DANS LA ROYAL NAVY

Lundi	À NOS VAISSEAUX EN MER
Mardi	À NOS HOMMES
Mercredi	À NOUS-MÊMES
Jeudi	UNE GUERRE SANGLANTE OU UNE SAISON AFFREUSE†
Vendredi	UN ENNEMI HARDI & LA MER POUR NOUS
Samedi	À NOS BIEN-AIMÉES & À NOS ÉPOUSES (QU'ELLES NE SE RENCONTRENT JAMAIS !)
Dimanche	AUX AMIS ABSENTS

† *les deux entraînant de lourdes pertes & donc un avancement plus rapide.*

PALINDROMES

Sotadès de Maronée (*ca.* 275 avant notre ère) passe pour avoir inventé les premiers palindromes : des mots ou des phrases qui se lisent à l'identique dans les deux sens, de la première à la dernière lettre et de la dernière à la première. Sotadès aurait employé cet artifice dans plusieurs de ses poèmes, souvent obscènes et infamants ; ils lui valurent de finir noyé, enfermé dans une caisse de plomb, pour avoir insulté Ptolémée II.

Rions noir
À l'étape épate-la†
Élu par cette crapule
Eh ! ça va, la vache ?†
Ésope reste ici et se repose
Léon a trop par rapport à Noël
L'ami naturel ? le rut animal†
Engage le jeu que je le gagne
La mère Gide digère mal‡
Ce repère, Perec

†Louise de Vilmorin ‡Louis Scutenaire

Georges Perec, à qui le dernier exemple cité rend hommage, est l'auteur du *Grand Palindrome* (1969) – le plus long jamais composé en Français : il compte 1 247 mots & 5 566 lettres. En voici le commencement et la fin :

Trace l'inégal palindrome. Neige. Bagatelle, dira Hercule. Le brut repentir, cet écrit né Perec. L'arc lu pèse trop, lis à vice-versa. Perte. Cerise d'une vérité banale, le Mälstrom, Alep, mort édulcoré, crêpe porté de ce désir brisé d'un iota …

… À toi, nu désir brisé, décédé, trope percé, roc lu. Détrompe-la. Morts : l'Âme, l'Élan abêti, revenu. Désire ce trépas rêvé : Ci va ! S'il porte, sépulcral, ce repentir, cet écrit ne perturbe le lucre : haridelle, ta gabegie ne mord ni la plage ni l'écart.

MOUCHES

À la fin du XVIIe siècle se répandit la mode des mouches, petites pièces de taffetas noir collées sur le visage pour souligner la blancheur du teint. Selon l'endroit où elles étaient placées, on leur donnait des noms particuliers :

L'effrontée	*sur le bout du nez*
La discrète	*sous la lèvre*
La coquette	*au-dessus de la lèvre*
La baiseuse	*au coin de la bouche*
La galante	*au milieu de la joue*
L'enjouée	*sur la pommette*
La passionnée *ou* l'assassine	*près de l'œil*
La majestueuse	*sur le front*
La tendre	*sur le lobe de l'oreille*

BOXE : CATÉGORIES DE POIDS

– Catégories Professionnels –

Mi-Mouche	48,988
Mouche	50,802
Coq	53,524
Super-Coq	55,338
Plume	57,152
Super-Plume	58,967
Léger	61,230
Super-Léger	63,503
Mi-Moyen *(Welter)*	66,678
Super-Mi-Moyen *(S.-Welter)*	69,853
Moyen	72,574
Super-Moyen	76,204
Mi-Lourd	79,378
Lourd-Léger	86,183
Lourd	pas de limite

– Catégories Amateurs –

Mi-Mouche	48
Mouche	51
Coq	54
Plume	57
Léger	60
Super-Léger	64
Mi-Moyen	69
Moyen	75
Mi-Lourd	81
Lourd	91
Super-Lourd	pas de limite

[Chaque catégorie est définie par un poids maxi (en kg). 2 boxeurs ne peuvent combattre que si leur différence de poids n'excède pas la différence entre les limites de la catégorie du plus léger.]

Pi

3,141592653589793238462643383279502884197169399375105
8209749445923078164062862089986280348253421170679821
4808651328230664709384460955058223172535940812848111
74502841027019385211055596446229489549303819644288109756
65933446128475648233786783165271201909145648566923460348
61045432664821339360726024914127372458700660631558817488
15209209628292540917153643678925903600113305305488204665
21384146951941511609433057270365759591953092186117381932
61179310511854807446237996274956735188575272489122793818
30119491298336733624406566430860213949463952247371907021
79860943702770539217176293176752384674818467669405132000
56812714526356082778577134275778960917363717872146844090
12249534301465495853710507922796892589235420199561121290
21960864034418159813629774771309960518707211349999998372
97804995105973173281609631859502445945534690830264252230
82533446850352619311881710100031378387528865875332083814
20617177669147303598253490428755468731159562863882353787
59375195778185778053217122680661300192787661119590921642
01989380952572010654858632788659361533818279682303019520
35301852968995773622599413891249721775283479131515574857
24245415069595082953311686172785588907509838175463746493
93192550604009277016711390098488240128583616035637076601
047101819429555961989467678374494482553797747268471040…

CAPITALES

Andorre .... Andorre-la-Vieille
Angola .... Luanda
Arabie saoudite .... Riyâd
Arménie .... Erevan
Azerbaïdjan .... Bakou
Bahamas.................. Nassau
Bahreïn .... Manama
Bangladesh................. Dhaka
Barbade.............. Bridgetown
Belize.................. Belmopan
Bénin................ Porto-Novo
Bhoutan.............. Thimphou
Biélorussie.................. Minsk
Botswana.............. Gaborone
Bulgarie...................... Sofia
Burkina Faso....... Ouagadougou
Burundi.............. Bujumbura
Cambodge .... Phnom Penh
Cap-Vert.................... Praia
Comores.................. Moroni
Costa Rica............... San José
Djibouti .... Djibouti
Dominique................ Roseau
Équateur.................... Quito
Erythrée.................. Asmara
Gabon.................. Libreville
Géorgie..................... Tbilissi
Grenade........... Saint George's
Guatemala. . Ciudad de Guatemala
Guinée.................. Conakry
Guinée-Bissau.............. Bissau
Guinée équatoriale........ Malabo
Guyana.............. Georgetown
Haïti.............. Port-au-Prince
Honduras............ Tegucigalpa
Indonésie .... Jakarta
Kazakhstan................. Astana
Kirghizistan .... Bichkek
Kiribati.................... Tarawa
Laos.................... Vientiane
Lesotho .... Maseru
Lettonie .... Riga
Libéria................. Monrovia
Liechtenstein .... Vaduz
Lituanie .... Vilnius
Macédoine................ Skopje
Madagascar .... Antananarivo
Malawi................. Lilongwe
Maldives...................... Malé
Mali .... Bamako
Îles Marshall .. Dalap-Uliga-Darrit
Île Maurice .... Port-Louis
Mauritanie .... Nouakchott
Micronésie .... Palikir
Moldavie .... Chisinau
Mongolie .... Oulan-Bator
Mozambique .... Maputo
Namibie .... Windhoek
Nauru........................ Yaren
Niger .... Niamey
Ouzbékistan............ Tachkent
Palau† .... Koror
Panama............. Panamá-City
Paraguay............. Assomption
Qatar......................... Doha
Rwanda..................... Kigali
Saint-Marin .... Saint-Marin
Îles Salomon .... Honiara
Samoa......................... Apia
Sénégal .... Dakar
Serbie & Monténégro.... Belgrade
Seychelles................ Victoria
Sierra Leone............ Freetown
Somalie................. Muqdisho
Soudan .... Khartoum
Surinam.............. Paramaribo
Tchad .... N'Djamena
Togo .... Lomé
Îles Tonga............. Nukualofa
Turkménistan .... Achgabat
Îles Tuvalu .... Funafuti
Vanuatu .... Port-Vila
Yémen .... Sanaa
Zambie .... Lusaka

† *Une nouvelle capitale pour la République des Palaos est en construction sur Babeldoab.*

POLYGONES

3 côtés	triangle	11	hendécagone
4	quadrilatère	12	dodécagone
5	pentagone	15	quindécagone
6	hexagone	20	icosagone
7	heptagone	50	pentacontagone
8	octogone	100	hectogone
9	ennéagone	1 000	chiliagone
10	décagone	10 000	myriagone

NORMES ÉLECTRIQUES & STANDARDS TV

pays	*voltage*	*fréquence*	*standard TV*
Afrique du Sud	220/230 V	50 Hz	PAL
Allemagne	230 V	50 Hz	PAL
Australie	240 V	50 Hz	PAL
Autriche	230 V	50 Hz	PAL
Belgique	230 V	50 Hz	PAL
Brésil	110/127/220 V	60 Hz	PAL
Canada	120/240 V	60 Hz	NTSC
Chine	220 V	50 Hz	PAL
Espagne	230 V	50 Hz	PAL
États-Unis	120/240 V	60 Hz	NTSC
France	230 V	50 Hz	SECAM
Hong Kong	200/220 V	50 Hz	PAL
Irlande	230 V	50 Hz	PAL
Israël	230 V	50 Hz	PAL
Italie	220 V	50 Hz	PAL
Jamaïque	110/220 V	50 Hz	NTSC
Jordanie	230 V	50 Hz	PAL
Suisse	230 V	50 Hz	PAL

Le voltage peut varier ; et certains pays en changent. Vérifiez avant d'utiliser un appareil.

NIVEAUX SONORES (EN DÉCIBELS)

0 db	*inaudible*	90	circulation en ville · *très gênant*
10	*à peine audible*	100	pétards
30	murmure (à 4,50 m)	110	concert rock, tronçonneuse – *risque de lésion irréversible* –
40	bureau calme, salle de séjour	120	klaxon (à 1 m)
60	conversation courante	140	sirène, décollage d'un avion
70	restaurant bruyant · *importun*	150	pas de tir d'une fusée
80	sèche-cheveux · *gênant*		

ACRONYMES ANGLAIS POUR LES FORUMS DE DISCUSSION

AMOUR & RENCONTRES

DIKU?	*do I know you ?*	on se connaît ?
A/S/L?	*age/sex/location ?*	âge/sexe/ville ?
BF / GF	*boyfriend / girlfriend*	petit(e) ami(e)
WTGP?	*want to go private ?*	tu veux qu'on aille plus loin ?
H&K	*hugs and kisses*	câlins & bisous
ILY	*I love you*	je t'aime
LY4E	*love you for ever*	je t'aime pour toujours
LJBF	*let's just be friends*	restons juste des amis

TECHNIQUE

RT(B)M	*read the (bloody) manual*	lis le (foutu) manuel
FAQ	*frequently asked questions*	foire aux questions
MOTD	*message of the day*	message du jour
SLM	*see last mail*	voir le dernier message
TSR	*totally stupid rules*	règles complètement débiles
WAEF	*when all else fails*	si rien d'autre ne marche

RIRE

LOL	*laughing out loud*	je rigole bien
SWL	*screaming with laughter*	je hurle de rire
ROFL	*rolling on floor laughing*	je me roule par terre de rire
JK	*just kidding*	je plaisante
BEG	*big evil grin*	grand sourire sardonique

DISCUSSION & BAVARDAGE

BION	*believe it or not*	crois-le ou pas
AAMOF	*as a matter of fact*	à vrai dire
AFAIK	*as far as I know*	pour autant que je sache
IOW	*in other words*	en d'autres termes
GMTA	*great minds think alike*	les grands esprits se rencontrent
IJWTS	*I just want to say*	je voudrais juste dire
IMHO	*in my humble opinion*	à mon humble avis
POV	*point of view*	point de vue
OTHO	*on the other hand*	d'un autre côté
ITFA	*in the final analysis*	pour conclure
PTMM	*please tell me more*	dis m'en davantage
NRN	*no reply necessary*	inutile de répondre !
BTW	*by the way*	à propos
SWIM	*see what I mean?*	tu vois ce que je veux dire ?
AFK	*away from keyboard*	loin du clavier
TOBAL	*there oughta be a law*	il devrait y avoir une loi

ASTRONOMES ROYAUX

Rév. John Flamsteed	1675
Dr Edmond Halley	1720
Rév. James Bradley	1742
Rév. Nathaniel Bliss	1762
Rév. Nevil Maskelyne	1765
John Pond	1811
Sir George Airy	1835
Sir William Christie	1881
Sir Frank Dyson	1910
Sir Harold Spencer Jones	1933
Sir Richard van der Riet Woolley	1956
Prof. Sir Martin Ryle	1972
Prof. Sir Francis Smith	1982
Prof. Sir Arnold Wolfendale	1991
Prof. Sir Martin Rees	1995

L'Observatoire Royal de Greenwich fut fondé par Charles II en 1675. Au premier Astronome Royal placé à sa tête, le rév. John Flamsteed, il ordonna

"de s'appliquer le plus soigneusement, exactement & diligemment à rectifier les tables des mouvements célestes & positions des étoiles fixes, afin de découvrir les longitudes tant convoitées pour porter à sa perfection l'art de la navigation."

INSULTES SHAKESPEARIENNES

Vous ne valez pas un mot de plus, sinon que je vous traite de faquin.

Pourquoi te mets-tu dans tous tes états, flasque et oiseux écheveau de bourre de soie, bandeau de taffetas vert pour œil malade, gland de la bourse d'un prodigue ? Ah, comme le monde est infesté de ces moucherons, de ces cirons de la nature !

Fils de pute, espèce de Z, lettre en trop de l'alphabet !

Cette femme est souple comme un gant, monseigneur, elle se tourne et retourne à plaisir.

Cœur faux, oreille complaisante, main sanguinaire, pourceau pour la paresse, renard pour la ruse, loup pour la voracité, chien pour la rage, lion pour le pillage !

Vous grimaciez comme des singes, vous rampiez comme des chiens, vous courbiez l'échine comme des esclaves.

Pareil à un crapaud, difforme et venimeux.

Je voudrais que la peau te démange de la tête aux pieds et que j'aie à charge de te gratter ; je ferais de toi le galeux le plus répugnant de la Grèce.

Tel un scélérat le sourire à la joue : pomme jolie, pourrie au cœur…

Vile meute d'aboyeurs ! Vous dont j'abhorre l'haleine comme l'exhalaison des marais empestés ; dont j'estime l'amour autant que les carcasses des morts sans sépulture infectant l'air que je respire !

ÉCHELLES DE CLASSIFICATION DES TREMBLEMENTS DE TERRE

RICHTER MAGNITUDE	MERCALLI INTENSITÉ (EFFETS VISIBLES)	GRAVITÉ
<4,3	I ... *à peine perceptible* II ... *détecté & ressenti par quelques-uns* III ... *vibrations dans les maisons*	*mineur*
4,3–4,8	IV ... *les voitures oscillent, les objets bougent* V. *les immeubles tremblent, les arbres balancent*	*léger*
4,8–6,2	VI... *murs fissurés ; difficile de se tenir debout* VII ... *quelques constructions endommagées*	*modéré*
6,2–7,3	VIII... *dommages importants sur les bâtiments* IX ... *panique ; glissements de terrain* X.. *le sol se crevasse, des immeubles s'effondrent*	*fort*
>7,3	XI ... *destruction ; peu d'immeubles résistent* XII ... *dévastation ; le sol bouge en ondulant*	*majeur*

ULTIMA VERBA

RUDOLPH VALENTINO
Ne baissez pas le store ! Je suis bien. Je veux que le soleil me salue.

FRÉDÉRIC CHOPIN
Maintenant, je suis à la source du bonheur.

JANE AUSTEN
[désirez-vous quoi que ce soit ?]
Rien d'autre que la mort.

DYLAN THOMAS
J'ai bu dix-huit whiskys secs, je crois que c'est un record.

J.W. VON GŒTHE
Plus de lumière !

LA REINE ÉLISABETH Ière
Tous mes biens pour un instant.

GUSTAV MAHLER
Mozart !

CHARLES FOSTER KANE
Rosebud.

OSCAR WILDE
Ou ce papier peint disparaît, ou c'est moi.

BLAISE PASCAL
Que Dieu ne m'abandonne jamais.

J.M. TURNER
Le soleil est Dieu.

EMMANUEL KANT
C'est assez.

NÉRON
Quel artiste périt avec moi !

WINSTON CHURCHILL
Oh, je suis tellement las de tout ça.

JAMES JOYCE
Est-ce que personne ne comprend ?

YIDDISH

Billik .... bon marché ; camelote
Bobkes .... petites choses sans valeur
Bubbee .... terme affectueux : grand-mère
Chutzpah .... audace, impudence, culot
Dibbouk .... esprit malin, démon
Drek .... ordure, excrément
Frum .... pieux, dévot, orthodoxe
Gai avek ! .... va-t-en !
Gelt .... argent
Goy .... non-juif, gentil
Kaddish .... prière pour un mort
Kibbitzer .... celui qui se mêle des affaires des autres
Klutz, Klotz .... maladroit, balourd
K'vetsh .... pousser un cri plaintif, se lamenter
Le'chayim ! .... toast traditionnel : "à la vie !"
Loch in kop .... trou dans la tête ; quelque chose d'inutile
Mashugga, Meshughe .... fou, cinglé, absurde
Mazel Tov .... félicitations ; bonne chance !
Mieskeit .... mocheté
Mitzveh .... commandement ; bonne action
Naches .... joie, jubilation, fierté [souvent provoquée par un enfant]
Nebbish .... gringalet, maladroit
Nednick, Nudnick .... casse-pied, emmerdeur
Ni ? .... eh bien, et alors ?
Nosh .... amuse-gueule
Oi ! .... exclamation susceptible d'exprimer à peu près n'importe quoi
Oi, gevald ! .... exclamation désespérée, appel au secours
Schmuck, Shmock .... membre viril
Shaitel .... perruque traditionnelle portée par les femmes ashkénazes
Shalom .... paix ; formule de salutation
Shikseh .... fille non juive
Shlemil .... idiot, simplet, maladroit, malchanceux
Shlepper .... traînard, négligent
Shmaltzy .... sentimental, larmoyant
Shmuts .... saleté
Shmutter, Shmatter .... chiffon, loque ; vêtement
Shnorrer .... mendiant
Shtep .... pousser, presser ; forniquer
Shtik .... farce, tricherie, escroquerie ; scène jouée par un acteur
Shul .... synagogue
Toches .... fesses
Traif .... nourriture qui n'est pas kasher
Tsores .... ennuis, misères, soucis, souffrances

APPELS DU MAÎTRE D'ÉQUIPAGE

L'appel du Maître d'équipage est la méthode traditionnelle de communication des ordres dans la Royal Navy. On appelle ces ordres des "sifflets" *(pipes)* ; à chacun sont associés un son et une signification. Le sifflet proprement dit peut émettre une note aiguë, une note grave et divers trilles.

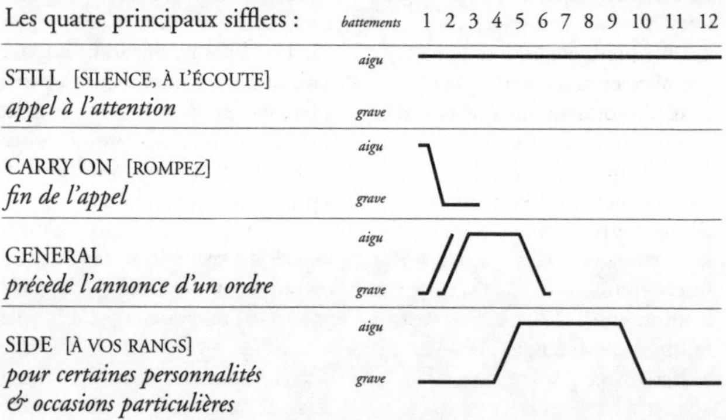

Les quatre principaux sifflets :
battements 1 2 3 4 5 6 7 8 9 10 11 12
aigu
grave
STILL [SILENCE, À L'ÉCOUTE]
appel à l'attention
CARRY ON [ROMPEZ]
fin de l'appel
GENERAL
précède l'annonce d'un ordre
SIDE [À VOS RANGS]
pour certaines personnalités & occasions particulières

Rares sont les personnalités en l'honneur desquelles on siffle le "Side" : SM la Reine, les membres de la Famille Royale en uniforme, les officiers supérieurs de la Royal Navy, les officiers de marine étrangers. On le siffle aussi lors de la cérémonie au cours de laquelle un corps est enseveli en mer.

ÉCHELLE DE TURIN

L'échelle de Turin, mise au point par le professeur Richard P. Binzel du Massachusetts Institute of Technology (MIT), sert à quantifier et surveiller les risques de collision présentés par les objets célestes dont la trajectoire peut croiser celle de la Terre. Cette échelle a été adoptée en juin 1999 par l'Union astronomique internationale (IAU), alors en congrès à Turin.

Valeur	*Niveau de risque*	*Code couleur*
0	Événements sans conséquences	blanc
1	Événements qui méritent attention	vert
2, 3, 4	Événements qui méritent l'attention des astronomes	jaune
5, 6, 7	Événements menaçants	orange
8, 9, 10	Collisions certaines	rouge

La valeur tient compte de la probabilité de collision et de l'énergie cinétique de l'objet céleste ; elle peut évoluer en fonction d'informations nouvelles.

LE CODE IRLANDAIS DU DUEL

En 1777, aux Assises de Clonmell, une délégation de Gentilshommes de Tipperary, Galway, Mayo, Sligo et Roscommon énonça une série de règles codifiant la pratique du duel et le point d'honneur. Il était recommandé que "les Gentilshommes de tout le Royaume" en aient une copie dans l'étui de leurs pistolets, "afin que l'ignorance n'en fût jamais invoquée".

1. La première offense appelle la première excuse, même si la riposte a été plus outrageante que l'insulte.

4. Lorsque la *première* offense est un *démenti*, l'offenseur doit demander pardon en termes exprès, ou échanger deux coups avant toute excuse, ou trois avant toute explication ; ou sinon continuer à faire feu jusqu'à tant que l'une des parties essuie une blessure sévère.

5. Comme il est strictement défendu aux Gentilshommes, en toutes circonstances, d'en venir aux mains, aucune excuse ne saurait être acceptée pour une telle offense.

7. Mais aucune excuse n'est plus recevable, en aucun cas, une fois les adversaires en place, même s'il n'y a pas encore eu échange de feu.

10. Toute insulte à une dame placée sous la protection d'un Gentilhomme doit être considérée comme une offense d'un degré plus grave que si elle s'adressait à ce gentilhomme en personne, et doit être réglée en conséquence.

14. Les seconds doivent être du même rang social que celui qu'ils secondent, puisqu'ils peuvent être amenés à prendre part au duel. Dès lors, *l'égalité est indispensable.*

15. Les duels ne doivent jamais se tenir la nuit, à moins que la partie offensée n'ait dessein de quitter les lieux avant le matin ; mieux vaut éviter toute procédure lorsque les esprits sont échauffés.

16. L'offensé a le choix des armes, à moins que l'offenseur ne lui donne sa parole d'honneur qu'il ne sait pas tirer l'épée ; ensuite de quoi, cependant, il ne peut décliner la *seconde* espèce d'armes proposée par l'offensé.

17. L'offensé a le choix du terrain ; l'offenseur le choix de la distance ; les seconds fixent le moment et les termes de l'échange de feu.

21. Les seconds doivent tenter une conciliation *avant* la rencontre, ou bien *après* un échange de feu ou de coups jugé suffisant.

22. Toute blessure assez sérieuse pour troubler les nerfs et, nécessairement, faire trembler la main, met fin aux hostilités *pour ce jour-là.*

25. Si les seconds se querellent et résolvent eux aussi de se battre, ce doit être en même temps que les principaux duellistes, et perpendiculairement à eux ; ou bien côte à côte, à distance de cinq pas, s'ils se battent à l'épée.

MONARCHIE ANGLAISE

Lignée danoise

Sven Barbe Fourchue ... 1014
Canut le Grand ... 1017–35
Harold Ier Pied de Lièvre ... 1035–40
Hardi Canut ... 1040–42
Édouard le Confesseur ... 1042–66
Harold II ... 1066

Maison de Normandie

Guillaume le Conquérant ... 1066–87
Guillaume II le Roux ... 1087–1100
Henry Ier Beauclerc ... 1100–35
Étienne de Blois ... 1135–54
Henry II ... 1154–89
Richard Ier Cœur de Lion ... 1189–99
Jean sans Terre ... 1199–1216
Henry III ... 1216–72
Édouard Ier ... 1272–1307
Édouard II ... 1307–27
Édouard III ... 1327–77
Richard II ... 1377–99

Maison des Lancastre

Henry IV ... 1399–1413
Henry V ... 1413–22
Henry VI ... 1422–61, 1470–71

Maison d'York

Édouard IV ... 1461–70, 1471–83
Édouard V ... 1483
Richard III le Bossu ... 1483–85

Maison des Tudor

Henry VII Tudor ... 1485–1509
Henry VIII ... 1509–47
Édouard VI ... 1547–53
Lady Jane Grey ... [9 jours] 1553
Marie Ière Tudor ... 1553–58
Élisabeth Ière ... 1558–1603

Maison des Stuart

Jacques Ier ... 1603–25
Charles Ier ... 1625–49

Commonwealth & Protectorat

Olivier Cromwell ... 1649–58
Richard Cromwell ... 1658–59

Maison des Stuart · Restauration

Charles II ... 1660–85
Jacques II ... 1685–88

Maison d'Orange & des Stuart

Guillaume III, Marie II ... 1689–1702

Maison des Stuart

Anne ... 1702–14

Maison de Brunswick-Hanovre

George Ier ... 1714–27
George II ... 1727–60
George III ... 1760–1820
George IV ... 1820–30
Guillaume IV ... 1830–37
Victoria ... 1837–1901

Maison de Saxe-Cobourg-Gotha

Édouard VII ... 1901–10

Maison de Windsor

George V ... 1910–36
Édouard VIII ... 1936
George VI ... 1936–52
Élisabeth II ... 1952 à nos jours

ORDRE DE SUCCESSION

Le Prince de Galles · Le Prince William de Galles · Le Prince Henry de Galles Le Duc d'York · La Princesse Béatrice d'York · La Princesse Eugénie d'York Le Comte de Wessex · La Princesse Royale Mr. Peter Phillips · Miss Zara Phillips Vicomte Linley · Hon. Charles Armstrong-Jones · Hon. Margarita Armstrong-Jones Lady Sarah Chatto · Master Samuel Chatto · Master Arthur Chatto · &c.

PRÉFIXES

10^{24}	yotta	Y	1 000 000 000 000 000 000 000 000
10^{21}	zêta	Z	1 000 000 000 000 000 000 000
10^{18}	exa	E	1 000 000 000 000 000 000
10^{15}	peta	P	1 000 000 000 000 000
10^{12}	téra	T	1 000 000 000 000
10^{9}	giga	G	1 000 000 000
10^{6}	méga	M	1 000 000
10^{3}	kilo	k	1 000
10^{2}	hecto	h	100
10	déca	da	10
1			1
10^{-1}	déci	d	0,1
10^{-2}	centi	c	0,01
10^{-3}	milli	m	0,001
10^{-6}	micro	u	0,000 001
10^{-9}	nano	n	0,000 000 001
10^{-12}	pico	p	0,000 000 000 001
10^{-15}	femto	f	0,000 000 000 000 001
10^{-18}	atto	a	0,000 000 000 000 000 001
10^{-21}	zepto	z	0,000 000 000 000 000 000 001
10^{-24}	yocto	y	0,000 000 000 000 000 000 000 001

LES 12 TRAVAUX D'HERCULE

Tuer le lion de Némée
Occire l'hydre de Lerne
Capturer la biche de Cérynie
Capturer le sanglier d'Érymanthe
Nettoyer les écuries d'Augias
Exterminer les oiseaux du lac Stymphale
Capturer le taureau de Crète
Enlever les cavales de Diomède
Dérober la ceinture d'Hippolyté, reine des Amazones
Ramener le troupeau de bœufs de Géryon
Rapporter les pommes d'or du jardin des Hespérides
Capturer Cerbère dans les Enfers

LES 4 CAVALIERS DE L'APOCALYPSE

DISCORDE *ou* PESTILENCE *cheval blanc* · GUERRE *cheval rouge*
FAMINE *cheval noir* · MORT *cheval pâle*

VENTES DE DISQUES

SINGLES	*France*	ALBUMS
100 000	Disque d'Argent	35 000
200 000	Disque d'Or	75 000
300 000	Disque de Platine	200 000
500 000	Disque de Diamant	750 000
	Grande-Bretagne	
200 000	Disque d'Argent	60 000
400 000	Disque d'Or	100 000
600 000	Disque de Platine	300 000
	États-Unis	
500 000	Disque d'Or	500 000
1 000 000	Disque de Platine	1 000 000
10 000 000	Disque de Diamant	10 000 000

LES 10 COMMANDEMENTS

[1] Tu n'auras pas d'autres dieux. [2] Tu ne te feras pas d'idole. [3] Tu ne prononceras pas en vain le nom du Seigneur. [4] Tu te souviendras du jour du sabbat pour le sanctifier. [5] Tu honoreras ton père et ta mère. [6] Tu ne tueras pas. [7] Tu ne commettras pas d'adultère. [8] Tu ne voleras pas. [9] Tu ne déposeras pas en faux témoin contre ton prochain. [10] Tu ne convoiteras pas la maison de ton prochain, tu ne convoiteras pas la femme de ton prochain … ni rien de ce qui lui appartient.

STANDARDS TV

NTSC · *National Television System Committee*	525 lignes/60Hz
PAL · *Phase Alternating Line*	625 lignes/50Hz
SECAM · *SÉquentiel Couleur À Mémoire*	625 lignes/50Hz

INVESTITURE DU PRÉSIDENT DES ÉTATS-UNIS

Lors de son entrée en fonction, le nouveau président des États-Unis proclame, la main droite levée et la main gauche posée sur une Bible ouverte :

> *Je jure* [ou affirme] *solennellement de remplir fidèlement les fonctions de Président des États-Unis, et, dans toute la mesure de mes moyens, de sauvegarder, protéger, & défendre la Constitution des États-Unis.*

LISTES DE SEI SHÔNAGON

Dans ses *Notes sur l'oreiller (Makura no sonoshi)*, composées à la cour impériale du Japon dans les premières années du XIe siècle, la dame de cour Sei Shônagon fut la première à élever la liste au rang de genre poétique. Voici quelques-unes des 78 listes figurant dans son livre :

CHOSES QUI FONT BATTRE LE CŒUR

Des moineaux qui nourrissent leurs petits · Passer devant un endroit où l'on fait jouer de petits enfants · Se coucher seule dans une chambre délicieusement parfumée d'encens · S'apercevoir que son miroir de Chine est un peu terni · Une nuit où l'on attend quelqu'un. Tout à coup, on est surpris par le bruit de l'averse que le vent jette contre la maison.

CHOSES QUI GAGNENT À ÊTRE PEINTES

Un pin · La lande en automne · Un village dans la montagne Un sentier dans la montagne · La grue · Le cerf · Un paysage d'hiver, quand le froid est extrême · Un paysage d'été, au plus fort de la chaleur.

CHOSES QUI PERDENT À ÊTRE PEINTES

Les œillets · Les fleurs de cerisier, de kerrie · Le visage des hommes ou des femmes dont on vante la beauté dans les romans.

CHOSES QUI NE FONT QUE PASSER

Un bateau dont la voile est hissée · L'âge des gens Le printemps, l'été, l'automne et l'hiver.

CHOSES QUE L'ON MÉPRISE

Une maison dont la façade est au nord · Une personne dont les gens connaissent la trop grande bonté · Un vieillard trop âgé Une femme frivole · Un mur de terre écroulé.

CHOSES QUE L'ON NE PEUT COMPARER

L'été et l'hiver · La nuit et le jour · La pluie qui tombe et le soleil qui brille La jeunesse et la vieillesse · Le rire et la colère · Le noir et le blanc L'amour et la haine · La renouée et l'arbre à liège · La pluie et le brouillard On n'aime plus une personne, c'est toujours la même, et il vous semble cependant que c'est une autre.

LES 6 FEMMES D'HENRY VIII

Catherine d'Aragon · Anne Boleyn · Jane Seymour
Anne de Clèves · Catherine Howard · Catherine Parr
[répudiée, décapitée, décédée, répudiée, décapitée, veuve & rescapée]

LES ROIS MAGES

GASPARD .... roi de Tarsis .... ENCENS
MELCHIOR .... roi d'Arabie .... OR
BALTHAZAR .... roi d'Éthiopie .... MYRRHE

COULEURS DE L'EMPIRE STATE BUILDING

L'Empire State Building de New York est équipé d'un système perfectionné qui permet d'éclairer le gratte-ciel avec diverses combinaisons de lumières colorées. Ces illuminations célèbrent les fêtes nationales, les manifestations des différentes communautés, les causes charitables et le passage des saisons. Voici une liste de quelques-unes de ces combinaisons de couleurs, avec leur signification *(les séquences de couleurs sont indiquées de la base vers le sommet)* :

rouge, noir, vert .... Journée à la mémoire du Dr. Martin Luther King Jr.
vert .... March of Dimes *[Marche pour les enfants handicapés]*, Saint-Patrick, Journée de la Terre
rouge .... Saint-Valentin, Memorial Day des pompiers
rouge, bleu .... Journée de l'égalité des parents, Droits des enfants
jaune, blanc .... Printemps, semaine de Pâques
bleu, blanc, bleu .... Anniversaire de l'indépendance d'Israël, première nuit de Hanouka
bleu .... Memorial Day de la Police, Prévention de la maltraitance des enfants
violet, blanc .... Journée de lutte contre la maladie d'Alzheimer
rouge, jaune, vert .... Journée du Portugal
rouge, blanc, bleu .... Jour du Drapeau, Jour du Président, Journée des forces armées, Memorial Day *[Journée du souvenir national]*, Independence Day *[Anniversaire de l'indépendance des États-Unis : 4 juillet]*, Fête du travail, Veterans' Day *[Armistice & Journée des anciens combattants]*
mauve, blanc .... Anniversaire des émeutes de Stonewall, Gay Pride
rouge, blanc, vert .... Columbus Day *[Anniversaire de la découverte de l'Amérique]*
bleu, blanc .... Anniversaire de l'indépendance de la Grèce, Journée des Nations-Unies
noir, jaune, rouge .... Anniversaire de la réunification de l'Allemagne
rose & blanc .... Journée de lutte contre le cancer du sein
rouge, vert .... Fêtes de fin d'année
aucune lumière .... Journée de lutte contre le SIDA

Le 4 juin 2002, l'Empire State Building fut illuminé avec une combinaison unique de pourpre royale et d'or en l'honneur du Jubilé de SM la Reine Élisabeth II. Un tel hommage rendu à une personnalité non américaine est exceptionnel ; le dernier étranger ainsi célébré avait été Nelson Mandela.

RECETTES ÉPONYMES

BŒUF WELLINGTON *filet mignon à la crème enrobé de pâte feuilletée* ainsi nommé en l'honneur du duc de Wellington.

SAVARIN *gâteau moëlleux imbibé de rhum* créé par le célèbre gastronome Antoine Brillat-Savarin.

EARL GREY *thé noir aromatisé à l'essence de bergamote* selon une recette appréciée et popularisée par le comte *(earl)* Charles Grey.

HACHIS PARMENTIER *hachis de bœuf recouvert de purée de pommes de terre,* en hommage à Antoine Parmentier qui fit entrer la pomme de terre dans l'alimentation.

FRANGIPANE *crème pâtissière à base d'amandes pilées* inventée par le marquis Muzio Frangipani.

TARTE TATIN *tarte cuite à l'envers avec les pommes recouvertes de pâte* selon la recette des sœurs Tatin.

PIZZA MARGHERITA *garnie de tomate, de mozzarella & de basilic* (aux couleurs du drapeau italien), la pizza favorite de Marguerite de Savoie en visite à Naples en 1885.

MADELEINE *petit gâteau moëlleux de forme ovale* qui doit son nom à la cuisinière Madeleine Paulmier.

SACHERTORTE *gâteau nappé au chocolat alternant couches de génoise et de confiture* inventé à Vienne par Franz Sacher.

PÊCHES MELBA *pêches dressées sur une glace à la vanille et nappées de purée de framboise* nommées ainsi par Escoffier en l'honneur de la cantatrice Nellie Melba.

CARPACCIO *fines tranches de filet de bœuf cru assaisonnées & nappées de sauce,* plat créé en 1950 par le cuisinier du Harry's Bar de Venise et baptisé du nom du peintre de la Renaissance à qui une exposition était consacrée cette année-là.

BÉCHAMEL *sauce blanche* dédiée au marquis Louis de Béchameil, maître d'hôtel de Louis XIV.

SANDWICH inventé par le cuisinier du comte de Sandwich (XIe du nom) pour lui permettre de manger sans quitter la table de jeu.

CHÂTEAUBRIAND *épaisse tranche de filet de bœuf grillé* dont la recette est attribuée au cuisinier de l'écrivain et diplomate.

LADY GREY *mélange de thés aromatisé aux écorces d'orange & de citron et à l'essence de bergamote,* auquel on a donné le nom de Lady Grey.

PUISSANCES NUCLÉAIRES DÉCLARÉES

États-Unis d'Amérique · Russie · Chine · Royaume-Uni
France · Pakistan · Inde · Corée du Nord · [Israël]

TAILLES DE LIT

		pieds & pouces	*centimètres*
France	Standard 1 place	——	90 x 190
	Standard 2 places	——	140 x 190
	Grand 2 places	——	160 x 200
Grande-Bretagne	(Small) Single	2'6" x 6'3"	75 x 190
	King (Standard) Single	3' x 6'3"	90 x 190
	Three Quarter	4' x 6'3"	120 x 190
	Double	4'6" x 6'3"	135 x 190
	King	5' x 6'3"	153 x 190
	Super King	6' x 6'6"	183 x 200
États-Unis	Twin/Single	3'3" x 6'3"	100 x 190
	Twin/Single extra long	3'3" x 6'8"	100 x 203
	Double/Full	4'6" x 6'3"	135 x 190
	Queen	5' x 6'8"	153 x 203
	King	6'6" x 6'8"	200 x 203
	California King	6' x 7'	183 x 213

QUÉBÉCISMES

achaler....... importuner, ennuyer
asteur .... maintenant
baveux .... vantard
bébelles *ou* cossins.. trucs, machins
bécosses................... toilettes
bibittes .... bestioles
blé d'Inde .... maïs
boucane .... fumée
branleux .... indécis
brunante .... crépuscule
capoter .... perdre la tête
champelure................. robinet
chauffer.................. conduire
chialeux...................... râleur
se choquer .... se fâcher
clavarder .... bavarder sur Internet
courir la galipote... courir les filles
croche..... de travers, malhonnête
croustilles..................... chips
débarbouillette .... gant de toilette
écœurant.... formidable, délicieux
faire du pouce.. faire de l'auto-stop
faire la baboune .... bouder
foirer .... faire la fête
foufounes........................ fesses
frencher................. embrasser
gaz.......................... essence
gosses.................... testicules
icitte................................ ici
magané ... fatigué, abîmé, dégradé
magasiner....... faire du shopping
pantoute .... pas du tout
paqueté .... saoul
placoter....... bavarder, commérer
platte................ ennuyeux, nul
poqué................. fourbu, cassé
sécuritaire............... sûr, fiable
sous-marin .... sandwich
tannant........ énervant, fatiguant
turluter................... fredonner
vidanges................... poubelles
vlimeux .... sournois

NOMBRE IDÉAL DE CONVIVES

Dans *Les Derniers Jours d'Emmanuel Kant* (1827), Thomas De Quincey rapporte qu'à la fin de sa vie, lorsqu'il invitait des amis à dîner, le philosophe "était un adepte ponctuel de la règle de Lord Chesterfield, à savoir qu'une réunion de convives, l'hôte compris, ne doit pas être inférieure au nombre des Grâces, ni supérieure à celui des Muses".

Autrement dit : 3 personnes au moins – 9 personnes au plus.

DRAPER UN SARI

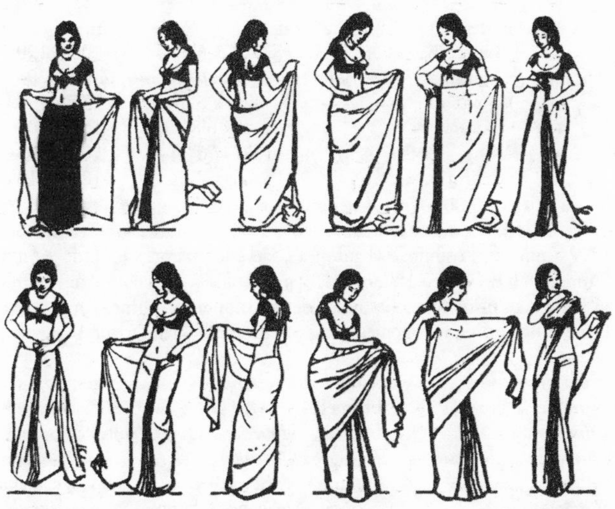

LES GAZ NOBLES

Les gaz nobles, aussi appelés gaz rares, sont les six éléments monoatomiques qui constituent le groupe 0 de la classification périodique. Ils sont d'une très grande stabilité, au point qu'on les a longtemps crus inertes.

Hélium (He) · Néon (Ne) · Argon (Ar)
Krypton (Kr) · Xénon (Xe) · Radon (Rn)

Les gaz nobles ont été découverts par Sir William Ramsey entre 1894 et 1898, à l'exception du Radon découvert par Friedrich Ernst Dorn en 1898.

LES 7 SAGES DE LA GRÈCE

SOLON D'ATHÈNES · *"Rien de trop"*
PITTACOS DE MITYLÈNE · *"Saisis le moment opportun"*
CLÉOBULE DE LINDE · *"La mesure est la meilleure des choses"*
PÉRIANDRE DE CORINTHE · *"La pratique est la clé de tout"*
BIAS DE PRIÈNE · *"La plupart des hommes sont méchants"*
CHILON DE LACÉDÉMONE · *"Connais-toi toi-même"*
THALÈS DE MILET · *"La mort ne diffère en rien de la vie"*

BLOODY MARY

2 vol. de vodka · 3 vol. de jus de tomate · ½ jus de citron
6 traits de sauce Worcestershire · 5 gouttes de Tabasco · sel & poivre
Mélanger les ingrédients, garnir de citron & de céleri, servir sur de la glace.

LE CALENDRIER RÉVOLUTIONNAIRE

Le calendrier républicain fut institué par une loi adoptée le 24 octobre 1793. Elle fixait rétroactivement le début de l'ère nouvelle au 22 septembre 1792, jour de l'équinoxe d'automne, devenu premier jour de l'An I. L'année était divisée en 12 mois de 30 jours, plus 5 jours complémentaires (6 les années bissextiles). Les noms de ces 12 mois, imaginés par le poète Fabre d'Églantine, se fondaient tous sur un symbolisme naturel :

Vendémiaire .... vendanges
Brumaire .... brumes
Frimaire .... froid
Nivôse .... neige
Pluviôse .... pluie
Ventôse .... vent
Germinal .... germination
Floréal .... floraison
Prairial .... récoltes & prairies
Messidor .... moisson
Thermidor .... chaleur
Fructidor .... fruits

Chaque mois était divisé en trois *décades*, périodes de 10 jours baptisés *Primedi, Duodi, Tridi, Quartidi, Quintidi, Sextidi, Septidi, Octidi, Nonidi & Décadi* (jour de repos). Les jours complémentaires, ou *sansculottides,* portaient les noms suivants : *Jour de la Vertu, Jour du Génie, Jour du Travail, Jour de l'Opinion, Jour des Récompenses* ; s'y ajoutait un *Jour de la Révolution* l'année *sextile* de chaque *Franciade* (cycle de 4 ans).

Ce calendrier se révéla peu pratique et impopulaire : l'année n'y comptait que 41 jours de repos, contre 52 auparavant. On proposa de le réformer, mais Napoléon préféra rétablir le calendrier grégorien le 1er janvier 1806 – signant l'arrêt de mort du calendrier républicain le 11 Nivôse an XIV.

ABRÉVIATIONS LATINES

ab init.	*ab initio*	depuis le commencement
AD	*Anno Domini*	en l'an de grâce
ad lib.	*ad libitum*	à volonté, au choix
ad loc.	*ad locum*	à l'endroit correspondant
a.m.	*ante meridiem*	avant midi, le matin
AMDG	*Ad Majorem Dei Gloriam*	pour la plus grande gloire de Dieu
ca., c.	*circa*	environ, vers
cf.	*confer*	comparer avec, se reporter à
et al.	*et alii (& et aliae, et alia)*	et autres
etc.	*et cætera*	et ainsi de suite
e.g.	*exempli gratia*	par exemple
fl.	*floruit*	a été actif à l'époque indiquée
ibid.	*ibidem*	au même endroit
id.	*idem*	le même, la même personne
i.e.	*id est*	c'est-à-dire
loc. cit.	*loco citato*	à l'endroit déjà cité
NB	*nota bene*	notez bien
non seq.	*non sequitur*	il ne s'ensuit pas
op.	*opus*	œuvre, ouvrage
op. cit.	*opere citato*	dans l'ouvrage déjà cité
p.a.	*per annum*	par an
p.m.	*post meridiem*	après-midi
per pro, pp	*per procurationem*	par procuration
pro tem	*pro tempore*	pour le moment
P.-S.	*post scriptum*	écrit après coup
QED	*quod erat demonstrandum*	CQFD
q.v.	*quod vide*	se reporter à la référence indiquée
RIP	*requiescat in pace*	qu'il repose en paix
sc.	*scilicet*	c'est-à-dire, à savoir
sic	*sic*	ainsi, en toutes lettres
SPQR	*senatus populusque romanus*	le sénat et le peuple romains
sq., sqq.	*sequentes, sequunturque*	et suivant(s)
v.	*vide*	voir
v. inf.	*vide infra*	voir plus bas
viz.	*videlicet*	à savoir, autrement dit
vs.	*versus*	contre, par opposition

MEMBRES DE L'OPEP

Organisation des Pays Exportateurs de Pétrole

Algérie · Arabie saoudite · Émirats arabes unis · Indonésie
Iran · Irak · Koweït · Libye · Nigeria · Qatar · Venezuela

CALIBRE DES ŒUFS

CALIBRES EUROPÉENS

Très gros (XL)	>73 g	Moyens (M)	53 g – 63 g
Gros (L)	63 g – 73 g	Petits (S)	<53 g

CALIBRES NORD-AMÉRICAINS

Jumbo	>70 g	Moyens	49 g – 56 g
Extra-gros	64 g – 70 g	Petits	42 g – 49 g
Gros	56 g – 64 g	Très petits	<42 g

DEUIL VICTORIEN

Après la mort de son bien-aimé Albert en 1861, la reine Victoria donna le ton en matière de deuil. Tout était affaire de signes extérieurs : en fonction de l'âge, la perte d'un être cher s'affichait de multiples façons, par exemple en utilisant du papier à lettres ourlé de noir, en portant des bijoux noir de jais, en s'astreignant à des périodes de retrait de la société. Curieusement, la durée du deuil n'était pas déterminée par le sentiment personnel, mais par une sorte de calendrier conventionnel du chagrin :

cher disparu	*durée du deuil*		
époux	deux à trois ans	grand-parent	six mois
épouse	trois mois	tante/oncle	trois mois
parent/enfant	un an	nièce/neveu	deux mois
frère/sœur	six mois	grand-tante/oncle	six semaines
		cousin	quatre à six semaines

Ces périodes se subdivisaient en premier deuil, second deuil, deuil ordinaire et demi-deuil. Le premier deuil était le plus strict et durait traditionnellement un an et un jour. Chaque période avait ses propres conventions, dont la subtilité allait jusqu'à définir les nuances de noir et le type de vêtements portés ou la largeur des crêpes sur les chapeaux. À partir d'un certain âge, les enfants devaient porter le deuil avec leurs parents, mais les plus petits étaient souvent dispensés des habits de deuil. Après la disparition d'un membre âgé de la famille, on considérait généralement approprié que les domestiques prennent aussi le deuil, pendant au moins six mois. La reine Victoria, qui ne faisait jamais les choses à moitié, porta le deuil du prince Albert jusqu'à sa mort – quarante ans durant.

HYGIÈNE DE VIE

Lever à six · Manger à dix · Souper à six · Coucher à dix
Font vivre l'homme dix fois dix.

ONE CENT MAGENTA

Le timbre le plus cher du monde est le 1 cent magenta émis en 1856 en Guyane britannique pour remédier au retard d'une livraison de timbres anglais. Il représente un voilier entouré de la devise *Damus Petimus Que Vicissim [Nous donnons & attendons en retour]*, ainsi que des mentions POSTAGE BRITISH GUIANA ONE CENT. On ne connaît de ce timbre qu'un seul exemplaire oblitéré, par un cachet rond de Demerara (ancien nom de la capitale de la colonie, aujourd'hui baptisée Georgetown). La couleur en est en partie usée par frottement, et ses quatre angles sont découpés obliquement. Il s'est négocié 6 shillings en 1873, 150 £ au début du XXe siècle, $ 35 000 en 1922, $ 280 000 en 1970 et $ 935 000 en 1980.

K, BWV, Hob., &c.

La plupart des œuvres musicales sont identifiées par leur titre, ou par le numéro d'opus qui leur a été attribué à la publication (op., op. posth. pour les œuvres posthumes). Mais pour certains compositeurs prolifiques, on renvoie à un catalogue établi par un musicologue, signalé par un sigle :

Carl Philipp Emanuel Bach	Wq.	*Wotquenne*
Johann Sebastian Bach	BWV	*Bach Werke Verzeichnis*
Béla Bartók	Sz.	*Szollosy*
Luigi Boccherini	G.	*Gérard*
Joseph Haydn	Hob.	*Hoboken*
Wolfgang Amadeus Mozart	K	*Köchel*
Niccolo Paganini	M.S.	*Moretti & Sorento*
Henry Purcell	Z.	*Zimmermann*
Domenico Scarlatti	Kk.	*Kirkpatrick*†
Franz Schubert	D.	*Deutsch*
Padre Antonio Soler	SR	*Samuel Rubio*
Antonio Vivaldi	RV	*Ryom*‡

† *remplace la numérotation Longo (L)* ‡ *Remplace les catalogues Fanna (F) et Pincherle (P) Pour Beethoven, le sigle WoO indique les œuvres sans numéro d'opus (Werke ohne Opuszahl).*

LOI DE HOFSTADTER

"Ça prend toujours plus de temps qu'on ne le pense,
même en tenant compte de la loi de Hofstadter."

Découverte par le mathématicien et philosophe américain Douglas Hofstadter, empiriquement vérifiable en nombre de domaines, cette loi semble avoir un champ d'application quasi infini.

LLANFAIR PG · 53°13'N 4°12'W

Le plus long toponyme britannique serait le nom du village gallois de *Llanfairpwllgwyngyllgogerychwyrndrobwllllantysiliogogogoch* (58 lettres), qui signifie "L'église de Ste Mary dans une combe de noisetiers blancs auprès d'un ruisseau agité près l'église St Tysilio à côté de la grotte rouge". Forgé de toutes pièces au XIXe siècle, ce nom n'est qu'un piège à touristes.

DISPOSITION D'ORCHESTRE

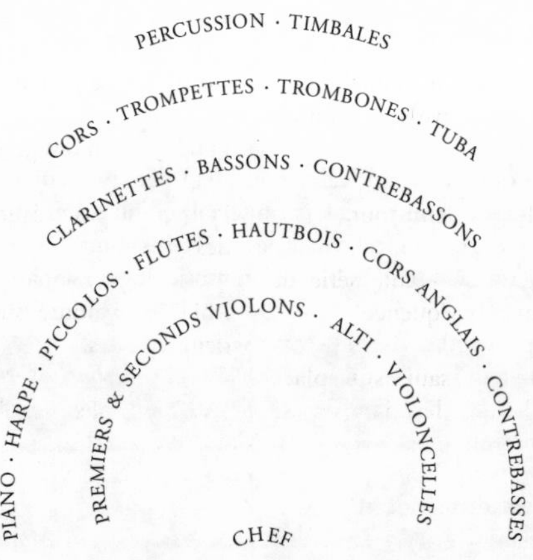

ANCIENS FORMATS DE PAPIER

Nom	*Format (cm)*		
Cloche	30 x 40	Grand Jésus	56 x 76
Pot	31 x 40	Pittoresque	57 x 78
Tellière	33 x 44	Soleil	58 x 80
Couronne	36 x 46 *ou* 37 x 48	Grand Soleil	60 x 80
Écu	40 x 52	Éléphant	62 x 77
Écu belge	40 x 53	Colombier	63 x 90
Coquille	44 x 56	Colombier belge	62 x 85
Carré	45 x 56	Grand Colombier	66 x 92
Cavalier	46 x 62	Atlas	65 x 94
Petit Raisin	48 x 63	Petit Aigle	70 x 94
Raisin	50 x 65	Grand Aigle	75 x 106
Jésus	56 x 72	Grand Monde	90 x 126
		Univers	100 x 130

LEXIQUE DE LA DANSE CLASSIQUE

ARABESQUE · pose en appui sur une jambe où le corps bascule à l'horizontale.

ATTITUDE · pose en appui sur une jambe où l'autre jambe est élevée et pliée en arrière.

CAMBRÉ · flexion du buste en arrière.

CHANGEMENT DE PIED · saut durant lequel on inverse la position des pieds.

CONVERSION · demi-tour.

ENCHAÎNEMENT · Une série de pas formant une séquence.

ENTRECHAT · saut sur place pendant lequel les jambes se croisent une ou plusieurs fois.

FOUETTÉ · pas où la danseuse tourne sur elle-même, une jambe servant de pivot et l'autre levée.

JETÉ · saut d'un pied sur l'autre, avec éventuellement un grand écart en l'air (GRAND JETÉ).

PAS · unité simple ou complexe de mouvement des jambes.

PAS DE DEUX · chorégraphie pour un couple de danseurs.

PAS DE QUATRE · chorégraphie pour quatre danseurs.

PIROUETTE · un ou plusieurs tours complets du corps en appui sur une seule jambe.

PLIÉ · flexion des genoux.

POINTES · pas exécutés sur le bout des orteils.

RELEVÉ · monté sur pointes ou demi-pointes.

SAUT · envolée de plus ou moins grande amplitude précédée d'un plié qui lui sert d'élan.

TERRE À TERRE · danse où les pieds ne perdent pas le contact avec le sol.

VARIATION · chorégraphie dansée en solo.

SCORES À LA CANASTA

4, 5, 6, 7, 8, 9	5
10, Valet, Dame, Roi	10
2, As	20
Joker	50
3 noir	5 *ou* 0 [carte de blocage]
3 rouge	100
Les quatre 3 rouges	800
Canasta pure	500
Canasta quelconque	300
Sortie	100
Sortie par surprise	200
VALEUR MINIMALE POUR POSER L'OUVERTURE	
Score négatif	15
Score entre 0 et 1495	50
Score entre 1500 et 2995	90
Score >3000	120

HAYDN : QUELQUES SYMPHONIES À TITRE

N°	*tonalité*	*titre*
22	mi *b.* majeur	Le Philosophe
43	mi *b.* majeur	Mercure
45	fa # mineur	Les Adieux
48	ut majeur	Marie-Thérèse
55	mi *b.* majeur	Le Maître d'école
59	la majeur	Le Feu
82	ut majeur	L'Ours
83	sol mineur	La Poule
85	si *b.* majeur	La Reine
94	sol majeur	La Surprise
96	ré majeur	Le Miracle
100	sol majeur	Militaire
103	mi *b.* majeur	Roulement de timbales
104	ré majeur	Londres

MOTS ALLEMANDS

Bildungsroman .... roman de formation
Empfindsamkeit .... sensibilité
Ersatz .... succédané, imitation médiocre
Festschrift .... publication commémorative en l'honneur d'un collègue
Gedankenexperiment .... expérience de pensée
Gemütlich .... douillet, confortable, accueillant
Gestalt .... forme, configuration, structure
Kitsch .... tape-à-l'œil et de mauvais goût
Leitmotiv .... thème récurrent
Realpolitik .... politique pragmatique, voire cynique
Schadenfreude .... malin plaisir, joie prise au malheur des autres
Sehnsucht .... nostalgie, aspiration ardente
Sturm und Drang. "Tempête & Passion" : premier romantisme (fin XVIIIe s.)
Urtext .... texte établi sur l'original, édition scientifique
Wanderer .... voyageur, errant
Weltanschauung .... représentation du monde
Weltschmerz .... lassitude du monde
Wunderkammer .... cabinet de curiosités
Wunderkind .... enfant prodige
Zeitgeist .... esprit d'une époque

L'HEURE DE SANDRINGHAM

En 1901, le roi Edouard VII établit la coutume de régler les quelque 180 horloges de sa propriété de Sandringham avec une demi-heure d'avance afin de disposer de davantage de temps pour chasser. En sorte que lorsque le roi séjournait à Sandringham, toutes ses affaires se réglaient dans cette enclave temporelle unique & royale. George V perpétua cette tradition ; ce fut Edouard VIII, à son accession au trône en 1936, qui rétablit la synchronie des horloges de Sandringham avec le reste de son royaume.

DIVINITÉS DE DIVERSES CULTURES

ÉGYPTIENNES

Râ .... soleil
Nout .... ciel
Geb .... terre
Hathor .... amour, joie
Seth .... nuit, désordre
Osiris .... vie, enfers
Isis ...... mère universelle
Horus ... lumière, horizon
Min .... fertilité
Anubis .... embaumement
Maât .... vérité, harmonie
Thot .... écriture

JAPONAISES

Amaterasu .... soleil
Kagutsuchi .... feu
Uzume .... gaîté, danse
Susanowo .... tempête
Tsuki-yomi .... lune
Wakahiru-me. soleil levant
Ebisu .... pêcheurs
Benten .... art, chance
Inari .... riz
Uke-mochi .... nourriture

NORDIQUES

Odin ...... dieu des dieux
Thor ... tonnerre, récoltes
Freya ...... amour, fertilité
Tyr .... guerre
Loki ... malice, mensonge
Forseti .... justice
Hel .... enfers

HINDOUES

Brahmâ .... création
Vishnu .... préservation
Shiva .... destruction
Krishna .... amour
Ganesh ... sagesse, chance
Indra .... orage
Lakshmî .. beauté, fortune

GRECQUES		ROMAINES
Aphrodite	amour	Vénus
Héphaïstos	feu	Vulcain
Apollon	lumière	Apollon
Poséidon	mer	Neptune
Arès	guerre	Mars
Hermès	voyageurs, voleurs	Mercure
Artémis	chasse, fertilité	Diane
Hadès	enfers	Pluton
Asclépios	médecine	Esculape
Dionysos	vin	Bacchus
Éros	amour, désir	Cupidon
Zeus	roi des dieux	Jupiter
Niké	victoire	Victoria
Amphitrite	mer, eau salée	Salacia
Euros	vent d'est	Vulturus
Hestia	foyer	Vesta
Tyché	hasard, fortune	Fortuna
Pan	bergers & troupeaux	Faunus
Palaemon	ports	Portunus
Dicé	justice	Astrée
Perséphone	printemps	Proserpine
Hélios	soleil	Sol
Limes	faim	Fames
Notos	vent du sud	Auster
Hébé	jeunesse	Juventus
Eos	aurore	Aurora
Priape	fécondité	Mutinus
Cronos	moissons	Saturne
Séléné	lune	Luna
Protée	prophétie	Carmenta
Borée	vent du nord	Aquilon
Ényo	guerre	Bellone
Éris	discorde, émulation	Discordia
Chloris	printemps	Flore
Thanatos	mort	Mors
Déméter	blé & agriculture	Cérès
Athéna	sagesse	Minerve
Gaia	la Terre	Terra
Héra	mariage	Junon
Hypnos	sommeil	Somnus

L'orthographe peut varier ; certains dieux ont plusieurs sphères d'influence et partagent leurs pouvoirs avec d'autres divinités.

LOCUTIONS LATINES

ab irato .... sous le coup de la colère
acta est fabula .... la pièce est jouée
ad hoc .... à cet effet, tout spécialement approprié
ad hominem .... visant une personne particulière
a posteriori .... après coup ; en partant des données de l'expérience
a priori .... en se fondant seulement sur des principes ou des préjugés
alma mater .... mère nourricière [ironiquement, l'Université]
alter ego .... autre soi-même ; personne de toute confiance
annus mirabilis .... année merveilleuse, particulièrement favorable
apologia pro vita sua .... une justification de son existence
ars longa, vita brevis .... l'art est long et la vie est courte
casus belli .... sujet de dispute, motif de guerre
corpus delicti .... l'objet qui constitue et qui atteste un délit
cui bono ? cui prodest ? .... à qui cela profite-t-il ?
de facto .... par le fait, de fait [par opposition à *de jure*, de droit]
de profundis ... des profondeurs : prière pour les morts [cf. *Psaumes*, 130]
ex cathedra .... du haut de la chaire ; avec autorité et solennité
ex nihilo .... à partir de rien
ex officio .... de par ses fonctions
gratis pro Deo .... gratuitement pour l'amour de Dieu
hic et nunc .... ici et maintenant
in articulo mortis .... à l'article de la mort
in medias res .... en plein milieu du sujet ou de l'action
in vino veritas .... la vérité est dans le vin
inter alia .... entre autres choses
intuitu personae .... en fonction d'une personne précise
ipso facto .... par le fait même
memento mori .... avertissement rappelant la brièveté de la vie
mens sana in corpore sano .... un esprit sain dans un corps sain
mutatis mutandis .... en changeant ce qui doit être changé
nec plus ultra .... ce qu'il y a de mieux [littéralement : rien au-delà]
nolens volens .... bon gré mal gré
passim .... çà et là, en divers endroits
pax vobiscum .... que la paix soit avec vous
persona non grata .... personne indésirable
primus inter pares .... le premier entre ses égaux
sine qua non .... sans quoi une chose ne se fera pas
sub rosa .... sous le sceau du secret
sui generis .... unique en son genre, spécifique
testis unus, testis nullus .... le témoignagne d'un seul est sans valeur
ultima verba .... les toutes dernières paroles
vae victis .... malheur aux vaincus
vis comica .... efficacité comique

LE LANGAGE DES FLEURS

La bonne société britannique fut initiée au langage des fleurs par des écrivains tels que Aubry de la Mottraye et Lady Mary Wortley Montagu, qui rapportèrent de leurs voyages à l'étranger un répertoire compliqué de significations symboliques associées aux fleurs. Tout au long des XVIIIe et XIXe siècles, plusieurs générations de *ladies* pâles et languides occupèrent ainsi leur esprit à arranger de subtils messages codés en forme de bouquets destinés à leurs amis et admirateurs. Voici quelques exemples tirés de ces lexiques floraux, aussi raffinés que fastidieux :

Coquetterie	belle-de-jour	*Plaisirs dangereux*	tubéreuse
Amour secret	acacia	*Curiosité*	sycomore
Vous êtes de glace	hortensia	*Dédain*	rue
Cœur content	pensée	*Je suis digne de vous*	rose blanche
Ingratitude	bouton d'or	*Persévérance*	magnolia
Beauté négligée	pulmonaire	*Affectation*	amarante

Une grammaire propre aux arrangements floraux complétait ce vocabulaire. Les fleurs disposées à gauche se rapportaient à l'expéditeur, celles disposées à droite au destinataire. La signification d'une fleur présentée la tête en bas était inversée : par exemple, une pensée à l'endroit signifiait "cœur content", mais à l'envers elle évoquait "un cœur en détresse". Retirer les épines d'une fleur signifiait "espoir" ; lui retirer ses feuilles, "crainte". Les nombres étaient indiqués par un système encore plus élaboré de baies et de feuillages. En telle sorte qu'un *gentleman* désireux d'adresser une subtile déclaration d'amour à une jeune fille pour son 19e anniversaire pouvait lui faire présent d'une guirlande de feuillage persistant [*aussi durable que mon affection*] portant dix petites feuilles et neuf baies [*19 ans*], avec un bouton de rose rouge [*pure et charmante*], du lierre [*amitié*] et quelques fleurs de pêcher [*je suis votre captif*] ; le tout piqué de pervenches [*tendres souvenirs*] et de bleuets [*amoureuse espérance*].

CARACTÉRISTIQUES DES BILLETS EN EURO

VALEUR	COULEUR	ARCHITECTURE	FORMAT *en mm*
5 €	gris	classique	120 x 62
10 €	rouge	romane	127 x 67
20 €	bleu	gothique	133 x 72
50 €	orange	Renaissance	140 x 77
100 €	vert	baroque & rococo	147 x 82
200 €	jaune	de fer & de verre	153 x 82
500 €	violet	moderne	160 x 82

CHURCHILL & LA RHÉTORIQUE

Winston Churchill fut l'un des plus grands orateurs du XXe siècle : il avait compris tout le pouvoir des tropes de la rhétorique classique. Voici une liste de quelques-unes de ces figures, illustrée d'exemples churchilliens :

LITOTE
Expression atténuée en vue d'un effet dramatique ou comique.
"Les affaires ont continué comme si de rien n'était durant les remaniements de la carte de l'Europe."

ÉPIZEUXE
Répétition emphatique.
"… Voilà la leçon : ne capitulez jamais, ne capitulez jamais, jamais, jamais, jamais, jamais …"

OXYMORE
Juxtaposition de deux mots ou de deux images contradictoires.
"…un rideau de fer s'est abaissé en travers du Continent."

SCESIS ONOMATON *ou* EXPOLITION
Répétition d'une même idée par une série de formules synonymes.
"Les difficultés et les dangers auxquels nous sommes confrontés ne disparaîtront pas si nous fermons les yeux. Ils ne disparaîtront pas si nous nous contentons d'attendre pour voir ce qui se passe ; ils ne disparaîtront pas par l'effet d'une politique d'apaisement."

CATACHRÈSE
Image inattendue qui détourne un mot, une formule de son sens usuel.
"un nouvel âge de ténèbres, que rendent encore plus sinistres … les lumières de la science pervertie."
[jeu sur Dark Ages, *le Moyen Âge en anglais]*

ASSONANCE & ALLITÉRATION
Répétition d'une sonorité, voyelle [assonance] ou consonne [allitération].
"Laissez-le s'écouler, laissez-le rouler à pleins flots, inexorable, irrésistible et bienfaisant, vers des terres plus vastes et des jours plus fastes."

BRACHYLOGIE
Formulation abrégée & elliptique.
"C'était notre peur, constamment : un coup, encore un autre ; des pertes terribles ; des dangers effroyables. Tout allait mal."

ANTITHÈSE
Juxtaposition d'idées opposées dans une formulation symétrique.
"Si nous sommes ensemble, rien n'est impossible ; si nous sommes divisés, tout est voué à l'échec."

PÉRIPHRASE
Formulation indirecte & élaborée.
"… de l'avis du Gouvernement de Sa Majesté, on ne saurait qualifier cela d'esclavage au sens fort du terme sans courir le risque d'une certaine inexactitude terminologique."

ANAPHORE
Reprise d'un mot ou d'une formule en tête de propositions consécutives.
"Nous combattrons sur les plages. Nous combattrons sur les terrains de débarquement. Nous combattrons dans les champs, et dans les rues, nous combattrons sur les collines. Jamais nous ne capitulerons."

CHURCHILL & LA RHÉTORIQUE (suite)

PARADOXE
Formulation illogique, mais piquante & éclairante.
"… décidés seulement à demeurer indécis, résolus à rester irrésolus, inflexibles dans leur flottement, fermes dans leur faiblesse …"

ÉPIPHORE *ou* ÉPISTROPHE
Répétition de mots à la fin de propositions consécutives.
"… l'amour de la paix, l'effort vers la paix, la lutte pour la paix, la poursuite de la paix …"

MÉTONYMIE
Emploi d'un mot ou d'une image pour exprimer un concept apparenté.
"Nous accueillons la Russie à sa place légitime … Nous accueillons son pavillon sur les mers."

ANTIMÉTABOLE
Renversement de l'ordre des mots d'une formule déjà employée.
"Ce n'est pas la fin. Ce n'est même pas le commencement de la fin. Mais c'est peut-être la fin du commencement."

LES PIÈCES DE SHAKESPEARE

Les dates de composition des pièces de Shakespeare font toujours l'objet d'âpres controverses. Leur chronologie, hypothétique, pourrait être celle-ci :

La Comédie des Erreurs . . . . . 1590[C]
Titus Andronicus . . . . . 1590[T]
La Mégère apprivoisée . . . . . 1591[C]
Henry VI, 2e partie . . . . . 1591[H]
Henry VI, 3e partie . . . . . 1591[H]
Henry VI, 1ère partie . . . . . 1592[H]
Richard III . . . . . 1592[H]
Peines d'Amour perdues . . . . . 1593[C]
Les deux Gentilshommes de Vérone . . . . . 1593[C]
Le Songe d'une nuit d'été . . . . . 1594[C]
Roméo & Juliette . . . . . 1595[T]
Richard II . . . . . 1595[H]
Le Roi Jean . . . . . 1596[H]
Le Marchand de Venise . . . . . 1596[C]
Henry IV, 1ère partie . . . . . 1597[H]
Les Joyeuses Commères de Windsor . . . . . 1597[C]
Henry IV, 2e partie . . . . . 1598[H]
Comme il vous plaira . . . . . 1598[C]
Henry V . . . . . 1599[H]
Beaucoup de bruit pour rien . . . . . 1599[C]
Jules César . . . . . 1599[T]
La Nuit des Rois . . . . . 1600[C]
Hamlet . . . . . 1601[T]
Troïlus & Cressida . . . . . 1602[C]
Tout est bien qui finit bien . . . . . 1603[C]
Mesure pour Mesure . . . . . 1604[C]
Othello . . . . . 1604[T]
Le Roi Lear . . . . . 1605[T]
Macbeth . . . . . 1605[T]
Antoine & Cléopâtre . . . . . 1606[T]
Timon d'Athènes . . . . . 1606[T]
Périclès, Prince de Tyr . . . . . 1607[R]
Coriolan . . . . . 1608[T]
Cymbélin . . . . . 1609[R]
Un Conte d'hiver . . . . . 1610[R]
La Tempête . . . . . 1611[R]
Henry VIII . . . . . 1613[H]
(Les deux Nobles Cousins) . . . . . 1613[C]

[C]omédie · [T]ragédie · drame [H]istorique · [R]*omance* ou tragi-comédie

CHATS & CHIENS DE MAÎTRES CÉLÈBRES

"J'ai eu des chats que j'aimais plus que celui-ci, mais c'est un très beau chat" †		*"On rapporte plus d'exemples de la fidélité des chiens que de celle des amis"* ‡	
Hodge	SAMUEL JOHNSON†	ALEXANDER POPE‡	Bounce
Tom Kitten	LES KENNEDY	LORD BYRON	Boatswain
Gris-Gris	CHARLES DE GAULLE	ISAAC NEWTON	Diamond
Perruque	RICHELIEU	BILL CLINTON	Buddy
Humphrey	DOWNING STREET	CHRISTOPHER MARLOWE	Bungey
Elvis	JOHN LENNON	HOGARTH	Trump
Margate, Jock	CHURCHILL	ÉLISABETH II	Susan§
Dinah	ALICE	JULES VERNE	Follet
Beelzebub	MARK TWAIN	SPOUTNIK II	Laïka
George Pushdragon	T.S. ELIOT		

§ *le 1er corgi de la Reine, offert pour ses 18 ans*

SIGNES DU ZODIAQUE

		nom français		*nom latin*	
F	♈	Bélier	21 mars – 20 avril	Aries	♂
T	♉	Taureau	21 avril – 21 mai	Taurus	♀
A	♊	Gémeaux	22 mai – 21 juin	Gemini	♂
E	♋	Cancer	22 juin – 23 juillet	Cancer	♀
F	♌	Lion	24 juillet – 23 août	Leo	♂
T	♍	Vierge	24 août – 23 septembre	Virgo	♀
A	♎	Balance	24 septembre – 23 octobre	Libra	♂
E	♏	Scorpion	24 octobre – 22 novembre	Scorpio	♀
F	♐	Sagittaire	23 novembre – 22 décembre	Sagittarius	♂
T	♑	Capricorne	23 décembre – 20 janvier	Capricornus	♀
A	♒	Verseau	21 janvier – 19 février	Aquarius	♂
E	♓	Poissons	20 février – 20 mars	Pisces	♀

Feu · Terre · Air · Eau · ♂ masculin · ♀ féminin

SIGNATURES ÉPISCOPALES

Les évêques de l'Église anglicane signent ordinairement de leur prénom suivi du nom de leur diocèse, sauf pour certains des plus anciens diocèses où c'est encore l'abréviation latine médiévale qui est employée :

Signature	*Diocèse*		
CANTUAR	Canterbury	ROFFEN	Rochester
EBOR	York	SARUM	Salisbury
PETRIBURG	Peterborough	WINTON	Winchester
		DUNELM	Durham

TYPES DE NUAGES

CIRRUS
[Ci] 5000–13700 m
Filaments blancs détachés, hauts dans le ciel ; traînées nuageuses fines et ténues.

CIRROCUMULUS
[Cc] 5000–13700 m
"Ciel pommelé" : ridules ou granules blancs en nappes assez régulières.

CIRROSTRATUS
[Cs] 5000–13700 m
Voile nuageux couvrant presque tout le ciel, avec parfois un effet de halo.

ALTOCUMULUS
[Ac] 2000–7000 m
Banc, nappe ou couche de nuages pommelés, détachés ou entremêlés.

ALTOSTRATUS
[As] 2000–7000 m
Voile nuageux gris-bleu à travers le ciel, obscurcissant le soleil & la lune.

NIMBOSTRATUS
[Ns] 900–3000 m
Nuage noir, lourd, couvrant presque tout le ciel ; chute de pluie & de neige.

STRATOCUMULUS [Sc]
460–2000 m
Banc de nuages blancs avec des zones sombres ; pluie légère, ou neige.

STRATUS
[St] surface–460 m
Couche nuageuse basse, grise, uniforme ; contour du soleil parfois visible.

CUMULUS
[Cu] 460–2000 m
Forme de dôme ou de chou-fleur ; base sombre, zones de blanc éclatant.

CUMULONIMBUS
[Cb] 460–13700 m
Nuage dense et puissant, avec d'énormes tours et une base très sombre.

Dans son essai La Modification des nuages, *Luke Howard (1772–1864) fut le premier, pour classer les nuages qu'il observait, à employer quatre mots latins à la base de la taxinomie météorologique moderne :* cumulus, *amas* · stratus, *couche* · cirrus, *boucle de cheveux* · nimbus, *pluie.*

LE PÈRE NOËL & COCA-COLA

Les liens entre l'image moderne du Père Noël et la firme Coca-Cola sont un sujet controversé. Le Père Noël rondouillard et exubérant que nous connaissons aujourd'hui semble être né de la plume du professeur Clement Clark Moore, l'auteur du célèbre conte pour enfants *La Nuit d'avant Noël (The Night Before Christmas).* Auparavant, on représentait le Père Noël comme un elfe ou comme une allégorie du Temps, sous les traits d'un vieillard décharné. Mais à partir de la description de Moore ("Il était dodu et joufflu, un bon vieil elfe tout jovial"), dans les années 1870, l'illustrateur Thomas Nast fit du Père Noël un personnage replet, à barbe blanche, vêtu d'un habit rouge bordé de fourrure. C'est un autre dessinateur, Haddon H. Sundblom, qui mit la touche finale à ce portrait dans les années 1930–1940. Sundblom travaillait comme illustrateur pour Coca-Cola, et à ce titre il réalisa au cours de sa carrière plusieurs dizaines de publicités de Noël. C'est dans ces dessins que s'est fixée l'image actuelle du Père Noël : habillé de rouge et de blanc (les couleurs de la marque), portant une barbe blanche bien fournie, un bonnet rouge, une veste à bordures de fourrure, une grosse ceinture et des bottes de cuir épais – et, le plus souvent, des bouteilles de Coca-Cola plein les mains.

TAILLES DE GANTS

Les tailles de gants traditionnelles remontent aux travaux du gantier grenoblois Xavier Jouvin. En 1834, avec l'avènement de la production mécanisée de gants, Jouvin mit au point un système de tailles prenant pour base la largeur de la main à la jointure des doigts. Ce système a survécu à la généralisation du système métrique ; il existe cependant des différences entre les tailles britanniques et les tailles des autres pays européens :

Grande-Bretagne	6	6½	7	7½	8	8½	9	9½	10
Europe continentale	6	7	8	9	10	11	12	13	14

La longueur de la manchette du gant est un autre paramètre essentiel. De nos jours, la plupart des gants sont portés très court ; mais en de certaines occasions formelles, des gants plus longs sont impératifs. La longueur de manchette est souvent calculée en nombre de boutons : cette tradition dérive de l'usage français d'espacer les boutons d'un pouce. Ainsi un gant de 4 boutons remonte-t-il d'environ 4 pouces (10 centimètres) à partir de la base du pouce. Le tableau ci-dessous indique les longueurs, en nombre de boutons, correspondant à différentes coupes de gants :

Jusqu'à l'épaule	20	Jusqu'au coude	8
Au-dessus du coude	16	Au milieu de l'avant-bras	6

UNITÉS ANCIENNES & MODERNES

CAPACITÉ & VOLUME

Roquille	30 cl
Chopine	46,5 cl
Pinte	2 chopines
Pot	2 pintes
Setier	8 pintes
Quartaut	9 setiers
Feuillette	2 quartauts
Muid	2 feuillettes
Amphore grecque	19,44 l
Barrique de Bordeaux	225 l
Fanega de Cadix	57,4 l
Stajo de Trieste	82,6 l
Stère	29 pieds cubes
Iku babylonien	72 000 briques

POIDS

24 grains	1 denier
3 deniers	1 gros
8 gros	1 once
8 onces	1 marc
2 marcs	1 livre
Livre	489,5 g
Obole grecque	0,72 g
Drachme	6 oboles
Maund de Bombay	12,6 kg
Maund de Bazar	37,25 kg
Carat	0,2 g

MESURES BIBLIQUES

Coudée	52 cm
Empan	1/2 coudée
Paume	1/3 empan
Doigt	1/4 paume
Omer	2,4 l
Sicle	14,1 grammes
Mine	50 sicles
Talent	60 mines

LONGUEUR

Point	0,188 mm
12 points	1 ligne
12 lignes	1 pouce
12 pouces	1 pied
6 pieds	1 toise
Toise	1,95 m
Perche	20 pieds
Lieue de poste	2 000 toises
Aune de Paris	1,188 m
Furlong	201 m
Brasse	1,624 m
Encablure	185,2 m
Mille marin	1,852 km
Lieue marine	5,556 km
Verste	1,067 km
Acène grecque	2,96 m
Stade	177,6 m

CONVERSION DES UNITÉS BRITANNIQUES

SYSTÈME IMPÉRIAL	*impérial → métrique multiplier par*	*métrique → impérial multiplier par*	SYSTÈME MÉTRIQUE
pouces (in)	2,54	0,3937	centimètres
pieds (ft)	0,3048	3,2808	mètres
yards (yd)	0,9144	1,0936	mètres
milles (mi)	1,6093	0,6214	kilomètres
acres	0,4047	2,471	hectares
milles carrés (sq mi)	2,5899	0,386	kilomètres carrés
pintes (pt)	0,5682	1,7598	litres
gallons (gal)	4,546	0,2199	litres
onces (oz)	28,35	0,035	grammes
livres (lb)	0,4536	2,2046	kilogrammes

STYLES : DU GOTHIQUE AU CUBISME

GOTHIQUE (XIIe–XVIe s.) Art du détail & de la dévotion : ogives de pierre, vitraux, voûtes nervurées. (XVIe s.) GOTHIQUE INTERNATIONAL Style médiéval tardif. [*Pisanello*]

RENAISSANCE (XIVe–XVIe s.) Retour à l'Antiquité classique dans les belles-lettres, la sculpture, les beaux-arts et l'architecture. Mise au point de la technique de la peinture à l'huile & des règles de la perspective. [*Botticelli, Vinci, Dürer*]

MANIÉRISME (seconde moitié XVIe s.) Exagération du style Renaissance jusqu'à la stylisation et l'extravagance. [*Michel-Ange, Bronzino*]

BAROQUE (XVIIe s.) Favorisé par l'Église catholique romaine, le Baroque engage les arts et l'architecture dans une recherche de réalisme & d'effet dramatique. [*Caravage, Bernin, Rubens*]

ROCOCO (seconde moitié XVIIIe s.) Style décoratif frivole et très orné, florissant à la cour de Louis XV. [*Watteau, Fragonard, Tiepolo*]

NÉO-CLASSICISME (1750–1850) Retour à la pureté des formes antiques dans les arts & l'architecture, par rejet du Baroque et du Rococo. [*Piranèse, David*]

ROMANTISME (1780–1850) Célébration du sentiment et de l'inspiration puisée dans la nature, en réaction contre les Lumières et la révolution industrielle. [*Turner, Blake, Delacroix, Friedrich*]

ARTS & CRAFTS (1850–1870) Mouvement anti-industriel de renaissance d'un artisanat décoratif et fonctionnel, visant à réformer la société. [*William Morris*]

IMPRESSIONNISME (1860s–1880s) Recherches sur la couleur pour saisir les impressions fugaces produites par la lumière. [*Monet, Sisley, Pissarro, Renoir*]

POST-IMPRESSIONNISME (1880–1910) Évolution vers une représentation plus abstraite, émotionnelle. [*Cézanne, Gauguin, Van Gogh*]

POINTILLISME (1880s) Juxtaposition de petits points de couleur pure pour former une image. [*Seurat, Signac, Cross*]

ART NOUVEAU (1890–1915) Style décoratif jouant des courbes fluides aussi bien que de la stricte géométrie. [*Beardsley, Klimt, Tiffany*]

FAUVISME (1900–1908) Utilisation de couleurs pures pour créer des œuvres violentes & exubérantes. [*Matisse, Rouault, Dufy*]

EXPRESSIONNISME (1900–1940s) Accent mis sur la subjectivité de l'artiste plutôt que sur la représentation réaliste. [*Grosz, Munch*]

CUBISME (1900s–1920s) Lancé par *Picasso* et *Braque*, influencé par Cézanne et l'art primitif, le cubisme vise à révéler l'essence du sujet en le fragmentant et en figurant simultanément toutes ses facettes.

SURNOMS DES CLUBS DE FOOTBALL

Surnom	*Équipe*	*Stade*
Les Girondins	Bordeaux	Lescure/Chaban-Delmas
Les Sang & Or	Lens	Félix-Bollaert
Les Canaris	Nantes	La Beaujoire
Les Aiglons	Nice	Ray
Les Rouge & Noir	Rennes	Stade de la route de Lorient
Les Verts	Saint-Étienne	Geoffroy-Guichard
Les Lionceaux	Sochaux	Auguste-Bonal
Les Cigognes	Strasbourg	La Meinau
Le Téfécé	Toulouse	Stadium municipal
The Gunners	Arsenal	Highbury
The Villa(i)ns	Aston Villa (Birmingham)	Villa Park
The Blues	Chelsea	Stamford Bridge
The Cottagers	Fulham (Londres)	Craven Cottage
The Whites	Leeds United	Elland Road
The Foxes	Leicester City	Walkers Stadium
The Reds	Liverpool	Anfield
The Red Devils	Manchester United	Old Trafford
The Magpies	Newcastle United	St James's Park
The Saints	Southampton	St Mary's Stadium
The Spurs	Tottenham Hotspur (Londres)	White Hart Lane
Hammers	West Ham United (Londres)	Boleyn Ground
The Terrors	Dundee United	Tannadice Park
The Gers	Glasgow Rangers	Ibrox
La Vecchia Signora	Juventus (Turin)	Stadio delle Alpi
I Giallorossi	Lazio Roma	Stadio Olimpico
I Rossoneri	Milan AC	San Siro
I Nerazzuri	Milan Internazionale	San Siro
El Barça	Barcelone	Camp Nou
Los Leones	Bilbao	San Mamés
Los Merengues	Real Madrid	Santiago Bernabeu

VENTS

Il y a bien des façons de nommer les vents ; leur nom varie selon les régions, les langues et les traditions. Voici une nomenclature parmi d'autres, que l'on trouve fréquemment en marge des cartes anciennes :

Tramontane	*vent du* Nord	Ostro *ou* Auster	Sud
Greco	Nord-Est	Libeccio	Sud-Ouest
Levant	Est	Ponant	Ouest
Sirocco	Sud-Est	Maestro *ou* Mistral	Nord-Ouest

SON ALTESSE ROYALE A.G. CARRICK

Lorsqu'en 1987 Son Altesse Royale le Prince de Galles soumit l'une de ses aquarelles à l'Académie Royale afin qu'elle fût présentée lors de l'annuelle exposition d'été, l'œuvre fut enregistrée et acceptée sous le pseudonyme d'Arthur George Carrick. Elle était signée "C/87". Le choix du royal pseudonyme s'explique aisément si l'on considère le titre officiel du Prince de Galles : Son Altesse Royale le Prince Charles Philip Arthur George, Prince de Galles, KG, KT, OM, GCB, AK, QSO, PC, ADC†, Comte de Chester, Duc de Cornouailles, Duc de Rothesay, Comte de Carrick, Baron de Renfrew, Lord des Îles, Prince & Grand Sénéchal d'Écosse.

†KG *Knight of the Garter*, Chevalier de l'Ordre de la Jarretière · KT *Knight of the Thistle*, Chevalier de l'Ordre du Chardon · OM *Order of Merit*, Membre de l'Ordre du Mérite · GCB *Grand Cross of the Order of the Bath*, Grand Croix de l'Ordre du Bain · AK *Knight of the Order of Australia*, Chevalier de l'Ordre de l'Australie QSO *Companion of the Queen's Service Order*, Compagnon de l'Ordre du Service de la Reine · PC *Privy Counsellor*, Conseiller Privé · ADC *Aide-de-Camp*

COMPTINES

1 2 3
Nous irons au bois
4 5 6
Cueillir des cerises
7 8 9
Dans mon panier neuf
10 11 12
Elles seront toutes rouges

Pimpanicaille
Le roi des papillons
Se faisant la barbe
Se coupa le menton
1 2 3 *de bois*
4 5 6 *de buis*
7 8 9 *de bœuf*
10 11 12 *de bouse*
Va-t'en à Toulouse

1 2 3
Nos petits soldats
4 5 6
Ils font l'exercice
7 8 9
Ils font les manœuvres
10 11 12
Ils sont tout en rouge

CALCUL DES TAILLES DE SOUTIEN-GORGE

Mesurer d'abord le diamètre de la cage thoracique juste sous le buste. Ajouter 12,5 cm. On obtient ainsi la bande du sous-buste, qui correspond à la taille. Ces tailles sont exprimées de 5 en 5 cm (85, 90, 95…) : entre deux tailles, il faut ajuster le soutien-gorge à l'aide des agrafes. Mesurer ensuite le tour de poitrine. La différence entre le tour de poitrine et la bande du sous-buste détermine la taille du bonnet, de la façon suivante :

différence	*bonnet*	*différence*	*bonnet*
< 2,5 cm	A	10 cm	D
5 cm	B	12,5 cm	DD
7,5 cm	C	15 cm	E
		17,5 cm	F

LES CERCLES DE L'ENFER DE DANTE

Quelques habitants	*Région infernale*	*Châtiment*
Panthère, lion, louve	FORÊT	
Le pape Célestin V	VESTIBULE DES LÂCHES	Harcelés par des guêpes
[Charon le nocher]	*– Achéron –*	*Haut Enfer*
Homère, Socrate, Platon	1 — LIMBES — 1	Désir sans espoir
[Minos] Paolo & Francesca	2 — LES LUXURIEUX — 2	Emportés par un ouragan
[Cerbère] Ciacco	3 — LES GOURMANDS — 3	Battus d'une pluie éternelle
[Plutus]	4 — AVARES & PRODIGUES — 4	En lutte perpétuelle
	5 — COLÉREUX & CONTRISTÉS — 5	Embourbés dans le Styx
[Phlégyas le nautonier]	*– Styx –*	*Bas Enfer, Cité de Dis*
Frédéric II	6 — LES HÉRÉTIQUES — 6	Prisonniers de tombes en feu
[Le Minotaure]	7 — LES VIOLENTS — 7	
[Les Centaures]	*– Phlégéton –*	
Alexandre, Attila	*Violents contre leur prochain*	Noyés dans du sang bouillant
della Vigna, Lano de Sienne	*Suicidés & Dissipateurs*	Prisonniers d'arbres épineux
Capanée	*Violents contre Dieu*	Couchés sous une pluie de feu
Brunet Latin	*Sodomites*	Forcés de courir à jamais
[Géryon]	8 — FRAUDE — 8	*Malebolge*
Venedico Caccianemico	*Ruffians & Séducteurs*	Fouettés et forcés à marcher
Alessio Interminei, Thaïs	*Flatteurs*	Noyés dans des excréments
Le pape Nicolas III	*Simoniaques*	Brûlés la tête en bas
Tirésias, Guido Bonatti	*Astrologues & Mages*	Tête retournée à l'envers
[Malacoda &c.] Ciampolo	*Trafiquants*	Bouillis dans de la poix
Caïphe, Hanne	*Hypocrites*	Chargés de chapes de plomb
Vanni Fucci, Cacus	*Voleurs*	Attaqués par des serpents
Ulysse, Diomède	*Conseillers perfides*	Enveloppés de flammes
Mahomet, Bertrand de Born	*Semeurs de discorde*	Perpétuellement mutilés
Gianni Schicchi, Sinon	*Alchimistes, Falsificateurs*	Gale, hydropisie, rage
Nemrod, Briarée, Antée	PUITS DES GÉANTS	Enchaînés
	– Lac gelé du Cocyte –	*Cocyte*
	9 — TRAÎTRISE — 9	
Napoleone Degli Alberti	*Traîtres à leur parenté*	Dans la glace jusqu'à la taille
Ugolin, l'archevêque Ruggieri	*Traîtres à leur patrie*	Dans la glace jusqu'au cou
Branca d'Oria	*Traîtres envers leurs hôtes*	Pris entiers dans la glace
Judas, Brutus, Cassius	*Traîtres à leurs bienfaiteurs & à Dieu*	Dans la gueule de Lucifer
	† LUCIFER †	

SINGLES DES BEATLES NUMÉRO 1 DANS LES HIT-PARADES ANGLAIS

Année	Titre	Semaines			Durée	Première sortie en album
63	From Me To You	7			1:54	*Oldies (But Goldies)*
63	She Loves You	6	†		2:18	*Oldies (But Goldies)*
63	I Want To Hold Your Hand	5	†	*	2:22	*Oldies (But Goldies)*
64	Can't Buy Me Love	3	†		2:10	*A Hard Day's Night*
64	A Hard Day's Night	3	†		2:29	*A Hard Day's Night*
64	I Feel Fine	5	†	*	2:17	*Oldies (But Goldies)*
65	Ticket To Ride	3	†		3:09	*Help!*
65	Help!	3	†		2:16	*Help!*
65	Day Tripper *& We Can Work It Out*	5	†	*	2:49	*Oldies (But Goldies)*
66	Paperback Writer	2	†		2:15	*Oldies (But Goldies)*
66	Yellow Submarine *& Eleanor Rigby*	4			2:36	*Revolver*
67	All You Need Is Love	3	†		3:47	*Magical Mystery Tour*
67	Hello Goodbye	7	†	*	3:27	*Magical Mystery Tour*
68	Lady Madonna	2			2:14	*The 'Blue Album'*
68	Hey Jude	2	†		7:07	*The 'Blue Album'*
69	Get Back	6	†		3:06	*Let It Be*
69	Ballad Of John And Yoko	3			2:58	*The 'Blue Album'*

† également Numéro 1 aux États-Unis · * Numéro 1 de Noël
Certains hit-parades donnent "Please Please Me" Numéro 1 en 1963.

LE TÉLÉPHONE AU VATICAN

On ne s'attendrait guère à trouver le Saint-Siège parmi les pionniers des communications téléphoniques. Et pourtant, le tout premier central téléphonique automatique au monde fut installé en 1886 par Giovanni Battista Marzi pour relier les dix postes du Vatican ; et en 1932 c'est entre le Vatican et la résidence d'été du Pape, Castel Gandolfo, que Guglielmo Marconi établit la première ligne téléphonique sans fil. En 1929, l'article 6 du Traité de Latran assura au Vatican l'accès au réseau italien. L'année suivante, des catholiques américains firent don d'un standard de 350 lignes. Le système téléphonique du Vatican a été complètement modernisé en 1992 : il est désormais relié par fibre optique au réseau Telecom Italia. Depuis 1948, le Service Téléphonique du Vatican est assuré par un ordre religieux, la Società S. Paolo. Les standardistes sont des nonnes *(suore Pie Discepole del Divin Maestro)* qui se distinguent "par leur sérieux, leur discrétion et leur intime connaissance des langues étrangères".
Pour obtenir le standard, composer le 00 39 06 69 82.

FOURNISSEURS DE SA MAJESTÉ LA REINE ÉLISABETH II

CHOCOLATS .... *Charbonnel et Walker*
FRUITS & LÉGUMES, FLEURS .... *Aboyne & Ballater Flowers*
BALAIS DE JONC & TUTEURS .... *A. Nash*
CREVETTES EN CONSERVES .... *James Baxter & Son*
JUS DE FRUITS & BOISSONS SANS ALCOOL .... *Britvic Soft Drinks*
BISCUITS .... *William Crawford & Sons*
CHANDELLES .... *Price's Patent Candle Co.*
LUBRIFIANTS (POUR LES MOTEURS) .... *Castrol*
VIANDE DE BOUCHERIE .... *Cobb of Knightsbridge*
VINS .... *Corney & Barrow*
WHISKY .... *William Sanderson & Son*
SAUCISSES DE PORC .... *Fairfax Meadow Farm*
FROMAGES .... *Howgate Dairy Foods*
ÉPICERIE & PROVISIONS DE BOUCHE .... *Fortnum & Mason*
PAPETERIE .... *Frank Smythson*
PEINTURE DES CARROSSES .... *Akzo Nobel C.T. Coatings*
ENCADREMENTS .... *Petersfield Book Shop*
PIANOS .... *John Broadwood & Sons*
CORNEMUSES .... *R.G. Hardie & Co*
RESTAURATION D'OBJETS D'ART .... *Plowden & Smith*
OBJETS D'ART .... *Hazlitt Gooden & Fox*
ROSES .... *James Cocker & Sons*
TIMBRES-POSTE .... *Stanley Gibbons*
ARMES .... *Gallyon & Sons*
LIVRES .... *Alden & Blackwell*
CRACKERS DE NOËL .... *Tom Smith Group*

ALPHABET MORSE

A	·—	A	M	——	M	Y	—·——	Y
B	—···	B	N	—·	N	Z	——··	Z
C	—·—·	C	O	———	O	0	—————	0
D	—··	D	P	·——·	P	1	·————	1
E	·	E	Q	——·—	Q	2	··———	2
F	··—·	F	R	·—·	R	3	···——	3
G	——·	G	S	···	S	4	····—	4
H	····	H	T	—	T	5	·····	5
I	··	I	U	··—	U	6	—····	6
J	·———	J	V	···—	V	7	——···	7
K	—·—	K	W	·——	W	8	———··	8
L	·—··	L	X	—··—	X	9	————·	9

PETIT GLOSSAIRE PHILATÉLIQUE

ALBINO timbre imprimé par erreur sans aucune couleur.

MARQUAGE bandes fluorescentes, luminescentes ou phosphorescentes servant au tri automatique.

COUPÉ un timbre coupé en 2, 3 ou 4 parties pour affranchissement légal d'une fraction de la valeur.

ERREURS timbres mis en circulation par inadvertance malgré une imperfection de fabrication : erreur de positionnement, omission, décalage de couleur, de dentelure, etc.

VIGNETTE timbre publicitaire sans valeur d'affranchissement.

SE-TENANT deux ou plusieurs timbres solidaires dissemblables par leur valeur ou par leur dessin.

TÊTE-BÊCHE une paire de timbres se-tenant, dont l'un est à l'envers.

COIN DATÉ coin inférieur droit d'un feuillet complet de timbres, portant en marge l'indication de la date d'impression.

FISCAUX-POSTAUX timbres fiscaux exceptionnellement admis pour l'affranchissement du courrier.

SURCHARGE mention ajoutée sur un timbre déjà imprimé pour en changer la valeur.

15 BATAILLES DÉCISIVES

Dans un ouvrage paru en 1851, *Les Quinze Batailles décisives pour le monde*, Sir Edward Shepherd Creasy (1812–1878) analyse les tournants des conflits qui, selon lui, ont marqué irréversiblement le cours de l'histoire :

Date	*Bataille*	*Action décisive*
-490	Marathon	*Victoire des Grecs sur les Perses*
-413	Syracuse	*Guerre du Péloponnèse ; limite l'expansion d'Athènes*
-331	Arbèles	*Alexandre le Grand renverse Darius III*
-207	Métaure	*Les Romains détruisent l'armée d'Hasdrubal*
9	Forêt de Teutobourg	*Le Germain Arminius vainc les Romains*
451	Châlons	*Attila est défait par le général romain Aetius*
732	Poitiers	*Charles Martel arrête la conquête arabe*
1066	Hastings	*Guillaume de Normandie conquiert l'Angleterre*
1429	Orléans	*Jeanne d'Arc boute les Anglais hors de France*
1588	Invincible Armada	*L'Angleterre détruit la flotte espagnole*
1704	Blenheim	*Victoire de Marlborough sur Tallard*
1709	Poltava	*La Russie l'emporte sur la Suède*
1777	Saratoga	*Victoire des indépendantistes américains sur les Anglais*
1792	Valmy	*L'armée révolutionnaire vainc les Prussiens*
1815	Waterloo	*Wellington vainc Napoléon*

CHEVALIERS DE LA TABLE RONDE

Si l'on en croit John Dryden, les chevaliers de la Table Ronde étaient 12 ; Walter Scott, lui, en nomme 16. L'accord semble se faire sur ces 10 noms :

Lancelot · Tristan · Lamorat · Tor · Galaad
Gauvain · Palamède · Keu · Marc · Mordret

Mais les romans de chevalerie des XIIe & XIIIe siècles en mettent en scène bien davantage : on en a dénombré jusqu'à 235 aux noms aussi improbables qu'Aliblel de Logres, Aristobokis, Arphasar le Gros, Esclabor le Méconnu, Friadus le Gai, Galegantin de Norgalles, Gringalet le Fort, Lupin des Croix, Mirandon de la Tamise, Radouin le Persien ou le Valet de Gluie.

RUGBY À XV : COMPOSITION D'UNE ÉQUIPE

pilier gauche · talonneur · pilier droit
deuxième ligne · deuxième ligne
avant-aile · centre · avant-aile

demi de mêlée

demi d'ouverture
premier centre
ailier gauche
deuxième centre
ailier droit
arrière

LAURÉATS MULTIPLES DU PRIX NOBEL

Alfred Nobel (1833–1896), inventeur de la dynamite, instaura par testament des prix annuels (décernés depuis 1901) récompensant les bienfaiteurs de l'humanité dans les domaines de la chimie, la physique, la médecine, la littérature et la paix. Rares sont ceux qui se sont vu décerner plus d'un prix :

MARIE CURIE
1903 *Physique* · 1911 *Chimie*

LINUS PAULING
1954 *Chimie* · 1962 *Paix*

HAUT COMMISSARIAT DES NATIONS UNIES POUR LES RÉFUGIÉS
1954 *Paix* · 1981 *Paix*

LA CROIX-ROUGE
1917 *Paix* · 1944 *Paix*
1963 *Paix*

FREDERICK SANGER
1958 *Chimie* · 1980 *Chimie*

JOHN BARDEEN
1956 *Physique* · 1972 *Physique*

ANNÉES DU ZODIAQUE CHINOIS

RAT	1912 · 1924 · 1936 · 1948 · 1960 · 1972 · 1984 · 1996 · 2008
BŒUF	1913 · 1925 · 1937 · 1949 · 1961 · 1973 · 1985 · 1997 · 2009
TIGRE	1914 · 1926 · 1938 · 1950 · 1962 · 1974 · 1986 · 1998 · 2010
CHAT/LIÈVRE	1915 · 1927 · 1939 · 1951 · 1963 · 1975 · 1987 · 1999 · 2011
DRAGON	1916 · 1928 · 1940 · 1952 · 1964 · 1976 · 1988 · 2000 · 2012
SERPENT	1917 · 1929 · 1941 · 1953 · 1965 · 1977 · 1989 · 2001 · 2013
CHEVAL	1918 · 1930 · 1942 · 1954 · 1966 · 1978 · 1990 · 2002 · 2014
CHÈVRE	1919 · 1931 · 1943 · 1955 · 1967 · 1979 · 1991 · 2003 · 2015
SINGE	1920 · 1932 · 1944 · 1956 · 1968 · 1980 · 1992 · 2004 · 2016
COQ	1921 · 1933 · 1945 · 1957 · 1969 · 1981 · 1993 · 2005 · 2017
CHIEN	1922 · 1934 · 1946 · 1958 · 1970 · 1982 · 1994 · 2006 · 2018
COCHON	1923 · 1935 · 1947 · 1959 · 1971 · 1983 · 1995 · 2007 · 2019

CARACTÉRISTIQUES DE L'ARCHE DE NOÉ

Faite en	bois de cyprès	Étages	3
Longueur	300 coudées	Passagers humains	8
Largeur	50 coudées	Pluie durant	40 jours & 40 nuits
Hauteur	30 coudées	Persistance du Déluge	150 jours
Ouverture	1	Noé vécut jusqu'à	950 ans

LEXIQUE DES ÉCHECS

J'ADOUBE formule pour avertir que l'on ajuste une pièce sur l'échiquier sans intention de la jouer.

BASE D'UNE CHAÎNE le pion le moins avancé d'une chaîne de pions se protégeant mutuellement.

CENTRE les quatre cases centrales de l'échiquier.

CLOUÉE se dit d'une pièce qui ne peut bouger sans exposer une pièce de valeur supérieure (son OTAGE).

COLONNE rangée verticale de huit cases.

COUP DE REPOS coup quelconque joué dans le seul but de passer le trait à l'adversaire.

DÉVELOPPEMENT positionnement des pièces durant l'ouverture.

ÉCHEC À LA DÉCOUVERTE échec engendré par une pièce à la suite du déplacement d'une autre pièce qui la masquait.

ÉCHEC PERPÉTUEL série ininterrompue d'échecs au roi qui ne conduisent pas au mat ; entraîne la nullité de la partie.

EN PASSANT coup où un pion de la 4e ou 5e rangée prend un pion adverse venant d'avancer de 2 cases sur une colonne adjacente.

EN PRISE état d'une pièce qui se trouve sur une case contrôlée par une pièce adverse.

FOURCHETTE une pièce (souvent un cavalier) qui met en prise deux pièces adverses en même temps.

GAMBIT sacrifice d'un pion dans l'ouverture de la partie en vue d'un avantage stratégique.

MAUVAIS FOU un fou qui ne peut se déplacer librement, bloqué par les pions de son propre camp.

PAT état d'un camp qui ne peut plus jouer aucun coup réglementaire : met fin à la partie et entraîne sa nullité.

PION DOUBLÉ deux pions du même camp sur la même colonne.

PROMOTION transformation d'un pion qui atteint la dernière rangée en dame, en tour, en fou ou en cavalier (le plus souvent en dame, d'où l'expression synonyme FAIRE DAME).

ROQUE déplacement du roi de deux cases à droite ou à gauche vers une des tours qui vient se loger de l'autre côté du roi, sur la case adjacente.

SACRIFICE perte volontaire d'une pièce en vue d'un gain tactique.

TRAIT tour de jouer.

TRAVERSE rangée horizontale de huit cases.

ZUGZWANG position où l'on ne peut jouer qu'un coup perdant.

QUELQUES CITATIONS PHILOSOPHIQUES

FRIEDRICH NIETZSCHE · Dieu est mort : mais telle est la nature des hommes que, des millénaires durant peut-être, il y aura des cavernes où l'on montrera encore son ombre.

SIGMUND FREUD · [*citant Napoléon*] L'anatomie, c'est le destin.

HÉRACLITE · Tout s'écoule et n'est jamais le même. On ne peut pas entrer deux fois dans le même fleuve.

THOMAS HOBBES · [*sur l'état de nature*] Pas d'arts ni de lettres ; nulle société ; avec cela, et c'est le pire de tout, continuels crainte et péril d'une mort violente ; et la vie de l'homme, solitaire, pauvre, hostile, brutale, et brève.

RENÉ DESCARTES · *Cogito ergo sum* (Je pense donc je suis).

CICÉRON · Le salut du peuple est la loi suprême.

ADAM SMITH · La science est le grand antidote contre le poison de l'enthousiasme et de la superstition.

JEREMY BENTHAM · Le plus de bonheur possible pour le plus grand nombre, voilà le fondement de la morale et de la législation.

BLAISE PASCAL · Je mets en fait que si tous les hommes savaient ce qu'ils disent les uns des autres, il n'y aurait pas quatre amis dans le monde.

ARISTOTE · La poésie est plus philosophique et plus noble que l'histoire : la poésie dit plutôt le général, l'histoire le particulier.

EMMANUEL KANT · Le bois dont est fait l'homme est si courbe, qu'on ne saurait rien y tailler de bien droit.

BARUCH SPINOZA · Tout ce qui est remarquable est difficile autant que rare.

JEAN-JACQUES ROUSSEAU · Le premier qui ayant enclos un terrain s'avisa de dire, *ceci est à moi*, et trouva des gens simples pour le croire, fut le vrai fondateur de la société civile.

DENYS D'HALICARNASSE · L'histoire est la philosophie enseignée par l'exemple.

GUY DEBORD · Toute la vie des sociétés dans lesquelles règnent les conditions modernes de production s'annonce comme une immense accumulation de *spectacles*. Tout ce qui était directement vécu s'est éloigné dans une représentation.

JEAN-PAUL SARTRE · Tout est gratuit, ce jardin, cette ville et moi-même. Quand il arrive qu'on s'en rende compte, ça vous tourne le cœur et tout se met à flotter … voilà la Nausée.

LUDWIG WITTGENSTEIN · Sur ce dont on ne peut parler, il faut garder le silence.

CITATIONS PHILOSOPHIQUES (suite)

ERICH FROMM · Il n'est peut-être pas de phénomène aussi riche en sentiments destructeurs que l'"indignation morale", qui permet à l'envie ou à la haine de s'extérioriser sous les dehors de la vertu.

FRIEDRICH ENGELS · L'État n'est pas "aboli", il s'éteint.

ÉTIENNE DE LA BOÉTIE · Soyez résolus de ne servir plus, et vous voilà libres.

THEODOR W. ADORNO · L'effet global de l'industrie culturelle est un effet de contre-Lumières ... la Raison, c'est-à-dire la domination progressive de la nature par la technique, s'est transformée en un moyen de leurrer les masses et d'aliéner les consciences.

G.W.F. HEGEL · Quand la philosophie peint gris sur gris, une forme de la vie a vieilli, et elle ne se laisse pas rajeunir avec du gris sur gris ; elle se laisse seulement connaître. L'oiseau de Minerve ne prend son vol qu'à la tombée de la nuit.

GEORGE BERNARD SHAW · Il n'y a qu'une seule religion, même s'il y en a cent versions différentes.

SOCRATE · Une vie sans examen ne mérite pas d'être vécue.

FRANCIS BACON · Celui qui veut commencer avec des certitudes, il finira dans le doute ; mais celui qui consent à commencer par des doutes, il finira avec des certitudes.

GEORGE BERKELEY · La vérité, tous lui font la chasse, mais peu en font la prise.

GOTTFRIED LEIBNIZ · Il y a deux sortes de vérités : celles de raisonnement et celles de fait. Les vérités de raisonnement sont nécessaires et leur opposé impossible ; les vérités de fait sont contingentes, et leur opposé est possible.

KARL POPPER · Dans la mesure où un énoncé scientifique parle de la réalité, il doit être falsifiable [*i.e.* réfutable] ; dans la mesure où il n'est pas falsifiable, il ne parle pas de la réalité.

GUILLAUME D'OCKHAM · Les entités [conceptuelles] ne doivent pas être multipliées sans nécessité.
["rasoir d'Ockham" : principe d'économie en logique]

THOMAS D'AQUIN · L'homme possède le libre arbitre, sans quoi les conseils, exhortations, préceptes, interdictions, récompenses et châtiments seraient vains.

J.S. MILL · La guerre est une chose hideuse, mais non la plus hideuse : l'état de décadence morale et patriotique consistant à penser que rien ne vaut une guerre est bien pire.

MARC-AURÈLE · Tout le temps présent n'est qu'un point dans l'éternité. Tout est infime, instable, évanescent.

LÉON TOLSTOÏ · Nietzsche était stupide et anormal.

POTENTIEL HYDROGÈNE

Le pH *(potentiel Hydrogène)* est un indicateur de l'acidité ou de la basicité d'une solution. Il se définit comme le logarithme inverse de la concentration en ions hydrogènes libres : $pH=\log_{10}1/[H^+]$. Le pH de l'eau pure est égal à 7 ($\log_{10}1/[10^{-7}]$) : c'est la valeur neutre. Les acides ont un pH < 7, et les bases un pH > 7. L'échelle est logarithmique ; pH1 est donc 10 fois plus acide que pH2. Quelques valeurs indicatives :

0,1	acide chlorhydrique
0,3	acide sulfurique
1,0	acide gastrique
2,3	jus de citron
2,8	vinaigre
5,0	café noir
5,2	pluie acide
5,5	pain blanc
5,7	eau de pluie
6,4	salive
6,8	lait
7,0	eau distillée
7,4	sang
8,0	eau de mer
9,0	bicarbonate de soude
10,5	lait de magnésie
11,0	eau de Javel
14,0	soude caustique

TEMPÉRATURES DE CUISSON

Description	°F	°C	Thermostat	Aga[†]
très doux	250	120	3	very cool
	275	140	4	
doux	300	150		cool
	325	165	5	warm
modéré	350	180		
	375	190	6	medium
modéré/chaud	400	200	7	medium high
	425	220		
chaud	450	240	8	high
très chaud	475	260	9	very high

† "Aga" est un acronyme dérivé de la marque *Svenska [A]ktienbolaget [G]as[a]kumulator Co.*

HIÉRARCHIE DE LA FAUCONNERIE

Dans son livre de chasse *The Boke of St Albans* (1486), Juliana Berners dresse une hiérarchie des faucons en assignant à chacun un rang dans la société :

Gerfaut	Roi
Pèlerin	Comte
Sacre	Baron
Lanier & Laneret	Hobereau
Émerillon	Lady
Tiercelet	Pauvre
Épervier	Prêtre
Crécerelle	Servant *ou* Valet

ROSE DES VENTS : 32 RHUMBS

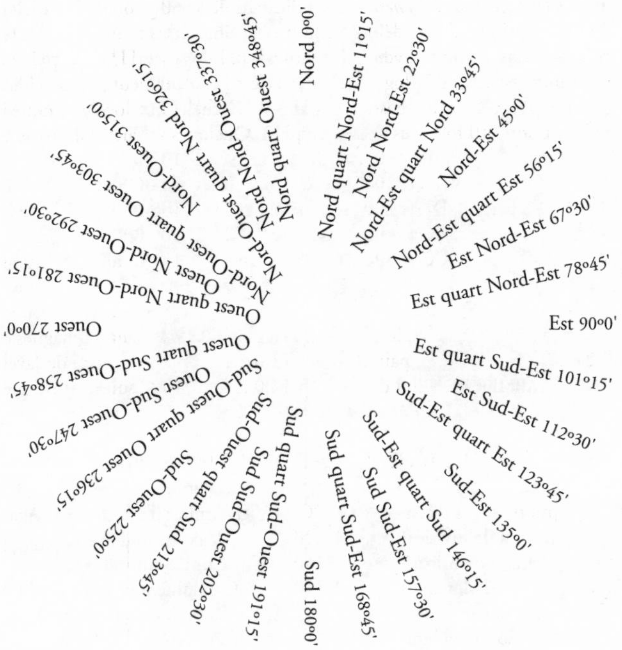

LA PSYCHÉ SELON FREUD

LE ÇA

est la part primitive, inconsciente et non civilisée du psychisme. Réservoir des pulsions et des instincts, il est régi par le seul principe de plaisir, orienté vers la survie et les intérêts égoïstes. Le ça est personnifié par les envies et le comportement du nourisson.

LE MOI

est la part consciente et préconsciente du psychisme, qui civilise le ça et prend acte de l'existence du monde extérieur. Le moi réprime les envies déraisonnables du ça ; les conflits entre ces deux instances psychiques sont la cause des névroses.

LE SURMOI

est le plus haut degré de développement psychique que nous ayons atteint. Il est notre conscience, il dirige nos pensées et nos actions. Le surmoi contrôle les sollicitations du ça et du moi en se conformant aux règles complexes de la vie en société.

CHIFFRES ROMAINS

1	I	30	XXX	600	DC
2	II	40	XL	700	DCC
3	III	50	L	800	DCCC
4	IV	60	LX	900	CM
5	V	70	LXX	1 000	M
6	VI	80	LXXX	5 000	$\overline{V}$
7	VII	90	XC	10 000	$\overline{X}$
8	VIII	100	C	50 000	$\overline{L}$
9	IX	200	CC	100 000	$\overline{C}$
10	X	400	CD	500 000	$\overline{D}$
20	XX	500	D	1 000 000	$\overline{M}$

HIÉRARCHIE MILITAIRE

ARMÉE DE TERRE & ARMÉE DE L'AIR	MARINE
officiers	*officiers*
Général d'armée ★★★★★	Amiral ★★★★★
Général de corps d'armée ★★★★	Vice-Amiral d'escadre ★★★★
Général de division ★★★	Vice-Amiral ★★★
Général de brigade ★★	Contre-Amiral ★★
Colonel	Capitaine de vaisseau
Lieutenant-Colonel	Capitaine de frégate
Commandant†	Capitaine de corvette
Capitaine	Lieutenant de vaisseau
Lieutenant	Enseigne de vaisseau 1ère classe
Sous-Lieutenant	Enseigne de vaisseau 2e classe
Aspirant	Aspirant
autres grades	*autres grades*
Major	Major
Adjudant-Chef	Maître principal
Adjudant	Premier Maître
Sergent-Chef‡	Maître
Sergent‡	Second Maître
Caporal-Chef§	Quartier-Maître
Caporal§	Matelot breveté

† *ou* Chef de bataillon *[Infanterie, Génie, Transmissions]*, *ou* Chef d'escadron *[Cavalerie, Artillerie, Train]*. ‡ *ou* Maréchal des logis-Chef *&* Maréchal des logis *[Cavalerie, Artillerie, Train, Matériel]*. § *ou* Brigadier-Chef *&* Brigadier *[Cavalerie, Artillerie, Train, Matériel]*.

SYMBOLES D'ENTRETIEN DU LINGE

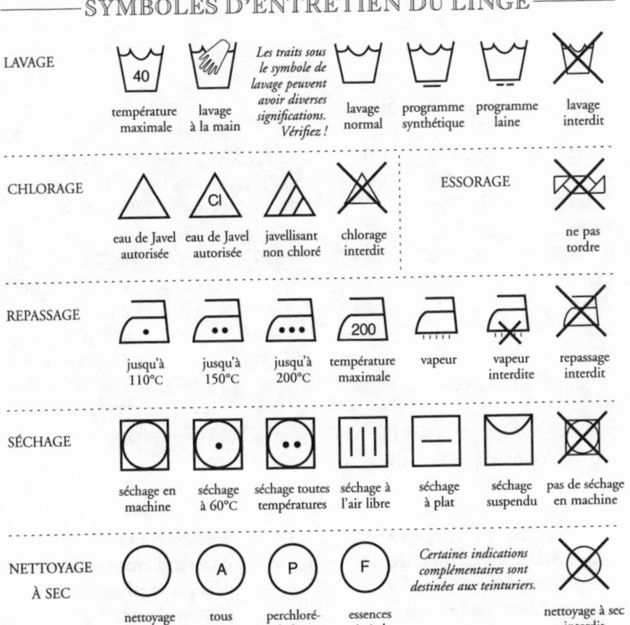

La signification de ces symboles peut varier d'un pays à l'autre. Prenez conseil avant tout lavage.

CONDUITE À GAUCHE

Afrique du Sud · Îles Anglo-Normandes · Anguilla · Antigua
Australie · Bahamas · Bangladesh · Barbade · Bermudes · Bhoutan
Botswana · Brunei · Îles Caïmans · Chypre · Ciskei · Îles Cook
Dominique · Îles Fidji · Grenade · Guyana · Hong Kong · Inde
Indonésie · Irlande · Jamaïque · Japon · Kenya · Kiribati · Lesotho
Macao · Malaisie · Malawi · Îles Malouines · Malte · Île Maurice
Montserrat · Mozambique · Namibie · Népal · Île Niue · Île Norfolk
Nouvelle-Zélande · Ouganda · Pakistan · Papouasie-Nouvelle-Guinée
Royaume-Uni† · Saint-Christophe & Niévès · Sainte-Hélène
Sainte-Lucie · Saint-Vincent · Îles Salomon · Seychelles
Sikkim · Singapour · Somalie · Sri Lanka · Surinam · Swaziland
Tanzanie · Thaïlande · Îles Tonga · Trinité & Tobago · Îles Tuvalu
Îles Vierges britanniques & américaines · Venda · Zambie · Zimbabwe

† *À l'exception de Savoy Court (sur le Strand, à Londres) où l'on conduit à droite.*

PLANÈTES DU SYSTÈME SOLAIRE

Nom	Diamètre	Lune(s)	Gravité en surface	Anneaux ?	kms du soleil
MERCURE	4 878 km	0	370 cm/s²	non	57 909 175
VÉNUS	12 104	0	887	non	108 208 930
TERRE	12 756	1	980	non	149 597 890
MARS	6 794	2	371	non	227 936 640
JUPITER	142 800	39	2 312	oui	778 412 020
SATURNE	120 536	30	896	oui	1 426 725 400
URANUS	51 118	20	869	oui	2 870 972 200
NEPTUNE	49 492	8	1 100	oui	4 498 252 900
PLUTON	2 300	1	81	non	5 906 376 200

SALOMON GRUNDY

Solomon Grundy,
Born on Monday,
Christened on Tuesday,
Married on Wednesday,
Took ill on Thursday,
Worse on Friday,
Died on Saturday,
Buried on Sunday :
This is the end of Solomon Grundy.
[célèbre comptine anglaise]

Salomon Grundy,
Né un lundi,
Baptisé mardi,
Marié mercredi,
Mal portant jeudi,
Au pire vendredi,
Mort le samedi,
Et le dimanche
Entre 4 planches :
Ainsi finit Salomon Grundy.

ÉQUIVALENCES PROVERBIALES

Qui vole un œuf vole un bœuf
Nouvel hôte nouvelle note
De méchant fondement jamais bon bâtiment
À bon chat bon rat
Les bons comptes font les bons amis
D'injuste gain juste daim *[dommage]*
Comme on fait son lit on se couche
De grands vanteurs petits faiseurs
Qui dort dîne
À trompeur trompeur & demi
Chose bien commencée est à demi achevée
Les bons livres font les bons clercs

ABRÉVIATIONS SMS

@+ .... à plus tard
@12c4 .... à un de ces quatre
@2m1 .... à demain
@b1to .... à bientôt
@lp .... à la prochaine
ama .... à mon avis
apl moi .... appelle-moi
arf .... cela me fait bien rire
atd .... à ta disposition
ayé .... ça y est
b1sur .... bien sûr
bap .... bon après-midi
biz .... bises
bjr .... bonjour
C .... c'est
c**** .... cooool
chepa .... je ne sais pas
Ckan? .... quand est-ce ?
Cki? .... qui est-ce ?
Ckoi *ou* keskeC? .... qu'est-ce ?
D6D .... décider
dak .... d'accord
Dbu .... début
DpaC .... dépasser
fds .... fin de semaine
fr .... faire
G .... j'ai
G1pb .... j'ai un problème
galr .... galère
Gf1 .... j'ai faim
GHT .... j'ai acheté
ID .... idée
j't kit .... je te quitte
jt'M .... je t'aime
k .... je t'embrasse *[kiss]*
KC .... cassé
Kdo .... cadeau
ke .... que
Kfé .... café
ki .... qui
kiela? .... qui est là ?
koa *ou* kwa .... quoi
koa29? .... quoi de neuf ?
koman .... comment
mdr .... mort de rire
méCou? .... mais où est-ce ?
mob .... mobile
mr2 .... zut !
mr6 .... merci
np .... *no problemo !*
NRV .... énervé(e)
nsp .... je ne sais pas
onCkri .... on s'écrit
OQP .... occupé(e)
pa2koi .... pas de quoi
pq .... pourquoi
pqtan2N?. pourquoi tant de haine ?
pqu .... parce que
proG .... projet
r129 .... rien de neuf
raf .... rien à faire
slt .... seulement
snif .... cela me fait de la peine
srvo .... cerveau
stp .... s'il te plaît
T1Gni .... tu es un génie
talkod? .... aurais-tu le code ?
Tla? .... es-tu là ?
Tou? .... où es-tu ?
tu m'ple .... tu m'appelles
tuCkoi? .... sais-tu la nouvelle ?
vi1 .... viens
x .... fois
xlnt .... excellent
ya .... il y a
yaka .... il n'y a qu'à
2 .... de *ou* deux *[selon le contexte]*
5pa .... sympathique
6né .... cinématographe
6té .... cité
7 .... cet(te) *ou* sept *[selon le contexte]*
$ .... argent

Ces codes communicationnels évoluent rapidement : en cas de doute, consultez un adolescent.

TZOLKIN & HAAB

Les Mayas utilisaient deux calendriers complémentaires : les calendriers *tzolkin* et *haab*, tous deux fondés sur la numération vicésimale (base 20).

Le calendrier *tzolkin*, "almanach sacré" ou "calendrier rituel", définissait l'année religieuse. Il se composait de 13 périodes de 20 jours, chacun en relation avec un animal, une plante, une force ou un objet sacré :

IMIX	crocodile	LAMAT	lapin	MEN	aigle
IK	vent	MULUC	eau	CIB	vautour
AKBAL	maison	OC	chien	CABAN	mouvement
KAN	lézard	CHUEN	singe	EZNAB	couteau de silex
CHICCHAN	serpent	EB	herbe		
CIMI	mort	BEN	roseau	CAUAC	pluie
MANIK	chevreuil	IX	jaguar	AHAU	fleur

Chaque jour de l'année était également associé à un nombre de 1 à 13, correspondant à l'une des 13 *oxlahuntiku* (divinités du monde supérieur). La série des 20 jours et la série numérale se déroulaient cycliquement, en parallèle, appariant un jour et un nombre en une combinaison unique chaque année : 1 *imix*, 2 *ik*, 3 *akbal*, ... 13 *ben*, 1 *ix*, 2 *men*, 3 *cib*, etc.

L'année *tzolkin* ne comptait que 260 jours ; elle ne permettait donc pas de se repérer par rapport à l'année solaire. Aussi les Mayas recouraient-ils à un second calendrier, d'usage agricole : le calendrier *haab*, calendrier "séculaire" ou "vague". Il était constitué de 18 mois *(uinal)* de 20 jours :

POP	ZOTZ	YAXKIN	YAX	MAC	PAX
UO	TZEC	MOL	ZAC	KANKIN	KAYAB
ZIP	XUL	CHEN	CEH	MUAN	CUMKU

Ces 18 mois totalisaient 360 jours. Pour boucler l'année solaire, on leur ajoutait un "mois" supplémentaire de 5 jours, UAYEB ("qui n'a pas de nom"), période de malchance pendant laquelle mieux valait ne rien faire.

Chaque double date tzolkin-haab *ne revenait que tous les 18 980 jours, cycle calendaire correspondant à 52 années* haab *ou à 73 années* tzolkin.

PRIX PULITZER

Pionnier du journalisme populaire et engagé, Joseph Pulitzer (1847–1911) légua par testament $ 500 000 pour doter une série de prix annuels distinguant le travail d'écrivains et de journalistes américains méritants.

LIVRES DE LA BIBLE

Ancien Testament · Genèse · Exode · Lévitique · Nombres · Deutéronome Josué · Livre des Juges · Ruth · Premier Livre de Samuel · Second Livre de Samuel · Premier Livre des Rois · Second Livre des Rois · Premier Livre des Chroniques · Second Livre des Chroniques · Esdras · Néhémie · Esther Job · Psaumes · Proverbes · Ecclésiaste · Cantique des Cantiques · Isaïe Jérémie · Lamentations · Ezéchiel · Daniel · Osée · Joël · Amos · Abdias Jonas · Michée · Nahoum · Habaquq · Sophonie · Aggée · Zacharie Malachie · *Nouveau Testament* · Évangile selon saint Matthieu · Évangile selon saint Marc · Évangile selon saint Luc · Évangile selon saint Jean Actes des Apôtres · Épîtres aux Romains · Première Épître aux Corinthiens Seconde Épître aux Corinthiens · Epître aux Galates · Épître aux Éphésiens Epître aux Philippiens · Épître aux Colossiens · Première Épître aux Thessaloniciens · Seconde Épître aux Thessaloniciens · Première Épître à Timothée · Seconde Épître à Timothée · Épître à Tite · Épître à Philémon Épître aux Hébreux · Épître de saint Jacques · Première Épître de saint Pierre · Seconde Épître de saint Pierre · Première Épître de saint Jean Seconde Épître de saint Jean · Troisième Épître de saint Jean · Épître de saint Jude · Apocalypse · *Apocryphes* · Premier Livre d'Esdras · Second Livre d'Esdras · Tobit · Judith · Esther, *additions grecques* · Livre de la Sagesse L'Ecclésiastique · Baruch · Daniel, *additions grecques* (Prière d'Azarias Cantique des trois amis de Daniel · Suzanne · Daniel et les prêtres de Bel · Daniel et le Dragon) · Premier Livre des Maccabées · Second Livre des Maccabées

QUELQUES NOMBRES PREMIERS

2	61	149	239	347	443	563	659	773	887
3	67	151	241	349	449	569	661	787	907
5	71	157	251	353	457	571	673	797	911
7	73	163	257	359	461	577	677	809	919
11	79	167	263	367	463	587	683	811	929
13	83	173	269	373	467	593	691	821	937
17	89	179	271	379	479	599	701	823	941
19	97	181	277	383	487	601	709	827	947
23	101	191	281	389	491	607	719	829	953
29	103	193	283	397	499	613	727	839	967
31	107	197	293	401	503	617	733	853	971
37	109	199	307	409	509	619	739	857	977
41	113	211	311	419	521	631	743	859	983
43	127	223	313	421	523	641	751	863	991
47	131	227	317	431	541	643	757	877	997
53	137	229	331	433	547	647	761	881	1009
59	139	233	337	439	557	653	769	883	1013

LES RÈGLES DE GEORGE WASHINGTON

Dans sa quatorzième ou quinzième année, le jeune George Washington tint un recueil de notes, citations et réflexions qui renfermait entre autres choses une liste de cent dix *Règles de Civilité et de comportement décent en société et dans la conversation.* Plusieurs auteurs, dont Washington Irving, le Dr. J.M. Toner et Moncure Conway, ont recherché la source de ces maximes ; elles s'inspirent sans doute d'un ouvrage composé par des jésuites français à la fin du XVIe siècle. On donne ici quelques-unes de ces Règles – "avec l'espoir", pour reprendre les mots de Conway, "qu'elles feront plus qu'amuser le lecteur par leur caractère pittoresque et désuet".

1ère Tout ce que l'on fait en société doit comporter quelque marque de respect à l'égard de ceux qui sont présents.

2nde En société, ne portez les mains vers aucune partie de votre corps qu'il n'est pas d'usage de découvrir.

6e Ne dormez pas lorsque les autres parlent, ne restez pas assis quand ils sont debout, ne parlez pas quand il convient que vous vous taisiez, ne marchez pas quand les autres restent en place.

16e N'enflez pas vos joues, ne laissez pas pendre votre langue, ne vous frottez pas les mains ni la barbe, ne gonflez pas les lèvres ni ne les mordillez, ne gardez pas les lèvres trop serrées ni trop béantes.

19e Que votre contenance soit agréable, avec quelque chose de grave quand il est question de sujets sérieux.

22e Ne témoignez nulle joie devant le malheur d'un autre, quand bien même il serait votre ennemi.

25e Évitez tous compliments superflus et toutes cérémonies affectées ; pour autant, ne les négligez pas quand il est de votre devoir.

38e Quand vous rendez visite à un malade, ne vous mettez pas à jouer les médecins si vous n'y connaissez rien.

44e Lorsqu'un homme fait tout son possible, ne blâmez pas ses efforts même s'ils ne sont pas couronnés de succès.

48e Soyez vous-même irréprochable sur ce que vous reprenez chez autrui ; car l'exemple vaut mieux que tous les préceptes.

54e Ne faites pas le paon à vous regarder sous toutes les coutures pour voir si vous êtes bien vêtu, si vos chaussures vous vont bien, si vos bas sont bien tirés & vos habits bien ajustés.

56e Ne vous liez qu'avec des personnes de qualité si vous avez le souci de votre réputation ; car mieux vaut être seul qu'en mauvaise compagnie.

LES RÈGLES DE WASHINGTON (suite)

60ᵉ Ne soyez pas indiscret en pressant vos amis de vous révéler un secret.

71ᵉ Ne regardez pas avec insistance les tares ou les disgrâces d'autrui, et ne demandez pas d'où elles viennent. Ce dont vous pourriez parler en secret avec vos amis, n'en faites pas état devant les autres.

77ᵉ Parlez de vos affaires au moment qui convient, & ne chuchotez pas en présence d'autres personnes.

80ᵉ Ne soyez pas monotone quand vous discourez ou quand vous lisez, à moins que vous ne remarquiez que la compagnie y prend plaisir.

85ᵉ En présence de personnes d'un rang supérieur au vôtre, ne parlez pas avant qu'on ne vous interroge ; tenez-vous bien droit, retirez votre chapeau, et répondez en peu de mots.

89ᵉ Ne dites pas de mal des absents, car c'est injuste.

91ᵉ Ne montrez pas trop de plaisir en mangeant, ni de gloutonnerie ; coupez votre pain avec un couteau, ne vous appuyez pas sur la table, et ne trouvez rien à redire à ce que vous mangez.

107ᵉ Quand les autres parlent à table, montrez-vous attentif ; mais ne parlez pas la bouche pleine.

108ᵉ Lorsque vous parlez de Dieu ou de ses attributs, que ce soit avec sérieux, & par des paroles pleines de révérence. Honorez vos parents & obéissez-leur, même s'ils sont pauvres.

110ᵉ Efforcez-vous de garder vive en votre cœur cette petite étincelle du feu céleste que l'on appelle la Conscience.

Le libellé de quelques-unes des Règles est conjectural, du fait des dommages causés au manuscrit par les souris.

LUTTE À LA CORDE

La lutte à la corde *(Tug of War)* est une épreuve de force où deux équipes de composition égale tirent de part et d'autre d'une corde. Selon le règlement de la Fédération internationale de Lutte à la corde, une corde de compétition doit présenter les caractéristiques suivantes :

"La corde ne doit pas avoir moins de 10 centimètres (100 mm) et pas plus de 12,5 centimètres (125 mm) de circonférence ; elle ne doit présenter aucun nœud ni aucune autre prise pour les mains. Les extrémités de la corde doivent être surliées. La longueur minimale de la corde ne doit pas être inférieure à 33,5 mètres."

TAILLES DE VÊTEMENTS : CONVERSIONS

Vêtements pour femmes							
France		40	42	44	46	48	50
Angleterre		10	12	14	16	18	20
Italie		44	46	48	50	52	54
Allemagne		36	38	40	42	44	46
États-Unis		8	10	12	14	16	18
Costumes pour hommes							
Europe continentale		44	46	48	50	52	54
Angleterre		34	36	38	40	42	44
États-Unis		34	36	38	40	42	44
Chemises pour hommes							
Europe	36	37	38	39	40	41	42
Angleterre	14	14½	15	15½	16	16½	17
États-Unis	14	14½	15	15½	16	16½	17
Chaussettes pour hommes							
Europe	38–9	39–40	40–1	41–2	42–3	43–4	44–5
Angleterre	9½	10	10½	11	11½	12	12½
États-Unis	9½	10	10½	11	11½	12	12½
Chaussures pour femmes							
Europe		35	36	37	38	39	40
Angleterre		3	4	5	6	7	8
États-Unis		4½	5½	6½	7½	8½	9½
Chaussures pour hommes							
Europe		39½	40½	41½	42½	43½	44½
Angleterre		6	7	8	9	10	11
États-Unis		7½	8½	9½	10½	11½	12½

QUELQUES HYMNES NATIONAUX

Brésil .... *Ouviram Do Ipiranga Às Margens Plácidas*
Chine .... *Yiyongjun Jinxingqu*
Cuba .... *Al Combate, Corred Bayameses*
Haïti .... *La Dessalinienne*
Islande .... *Lofsöngur*
Iran .... *Sorûd-E Jomhûri-Ye Eslâmi*
Israël .... *Hatikvah*
Kiribati .... *Teirake Kain Kiribati*
Mexique .... *Mexicanos, Al Grito De Guerra*
Nauru .... *Nauru Bwiema*
Nigeria .... *Arise, O Compatriots*
Singapour .... *Majullah Singapura*
Vietnam .... *Tien Quan Ca*

BLOOMSBURY

Il semble que "Bloomsbury" dérive de *Blemondisberi* – le manoir de William Blemond (XIIIe siècle). Le quartier de Londres qui porte ce nom n'a pas de frontières strictement définies, mais on s'accorde à le localiser au *sud* d'Euston Road, au *nord* de New Oxford Street & High Holborn, à l'*est* de Tottenham Court Road et à l'*ouest* de Gray's Inn Road. En dehors du British Museum et de l'Université de Londres, il doit surtout sa célébrité au "Groupe de Bloomsbury" : une association informelle d'écrivains, d'artistes et d'intellectuels qui se réunissait dans ce quartier au début du XXe siècle, et comptait notamment dans ses rangs Leonard & Virginia Woolf, E.M. Forster, Roger Fry, Lytton Strachey, J.M. Keynes et Duncan Grant. On connaît moins la "Bande de Bloomsbury" *(Bloomsbury Gang)*, une faction *whig* formée en 1765 par le duc de Bedford (IVe du nom).

PAYS MEMBRES DE L'OTAN

Allemagne · Belgique · Canada · Danemark · Espagne · États-Unis
France · Grèce · Hongrie · Islande · Italie · Luxembourg · Norvège
Pays-Bas · Pologne · Portugal · Rép. Tchèque · Royaume-Uni · Turquie

SYSTÈME DE CLASSIFICATION DE LINNÉ

RÈGNE
sous-règne
EMBRANCHEMENT
sous-embranchement
super-classe
CLASSE
sous-classe
infra-classe
cohorte
super-ordre
ORDRE
sous-ordre
super-famille
FAMILLE
sous-famille
tribu
GENRE
sous-genre
ESPÈCE
sous-espèce

MOTS UTILES POUR LES JEUX DE LETTRES

aa ace acul aga agio ahan ais aisy

ajut : *réunion de deux cordes*

akan alcyon aleph alfa algie alizé aloès alto alun amict

ana : *recueil de mots d'esprit*

aneth apex api arak aria ars aspe aspic aster atoll aula aulx aura ave aven axe axel azur azyme

bagad bai balsa ban banjo bard barn bât bath bau baux bazar bée bel ber bey bief bige bintje binz bio bip bizuth blaze bled blet blush boa bob bock body bof bokit bôme boni bop bora

borax bordj bore bort bot boxe boxon boy brai bran braye bretzel brio briska brou bru bug buggy bun burg busc buzzer bye byte cab caddy cade cadi caïd cairn cal cake carex carvi cash catgut cène

cens cep ceux chai chaos chas chaux cheik chez chintz chyle ciao cil cippe cis cive clam clap clebs clef clic clin clip club cob coda codex coi coït coke cola colt colza copla coq cortex couvi

crawl crêt cric croc cruor cyan cycle cygne cyme czar dahu daine dam dan dandy dard dayak

défet : *feuillet dépareillé*

dème derby deux dey dia diol dito diva dive dix dock doge dol dom dot doum douve doux douze duit duo dry dyade

dyke dzêta édam éden édit ego élyme embu émeu enfeu ente envi éon épar époi erg éros erre ers ersatz erse ès esse ester êta étai étoc ex exeat exil exit exon eyra fa fado faix fakir falzar fan faon

far faro fart fat faux fax féal féra féru feta fétu feue feux fez fic fief finn fisc fixe fjord flac flein flet flic flip floc flop flux foc foil fol folk for fors fovéa fox frac frai fret frit

froc fuel fuie full fun funky fur furax gag gaize gal gang gap gay gaz gaze gens gent giga gin girl glas glide glie glu glui glyphe go

goglu : *passereau*

golf gon gone gong gord goum gour goy graux gray grès gril

grip grizzly grog guai gué guib guzla gym gypse gyrin haïk haïku han harki haro hart hase hast hâve hep hère heur hévéa hic hie hile hippy hoir hop horst hot houe houka houx hue hui hum hun hure husky

hydne hyphe ibis ictus ide idem ides if igné igue ikat index inlay inox intox ion iota ipé ire isba item iule ive jab jack jaja jam jar jas java jazz jerez job joker jota jubé judo julep junky jury

MOTS UTILES (suite)

kabuki kaki kapok karst kart kayak khan khi khôl kid kif kilt kir kit kitsch kiwi kora korê koto krach kraft kriek ksi kyrie kyste kyu lad lady laps lazzi lez lied lift links loch

lods : *ancien droit de mutation*

lœss lof look lope los

lut lux lynx lyre lyse mana maxi maya mezcal mezze mezzo mil mix mob mol mox moxa muid murex nabi nard nazca nazi nef nem nez nib niet nif nô obel obi obit oc ode off ogam ohm oïl oing

okapi onc onyx ope ophrys opus orbe orin orle oryx osque ost oud oued ouf out ouzo ove ovni oxer oye pack pal palud panty parka party pat péan pec penny penty péon pers peso peuhl peyotl pèze phi phlox

pi pian pica pièze pilaf pipa pisé pita pite pive pixel pizza plexus pleyon plie ploc podzol poix poljé polka pool pop prao prix provo psi psy psylle puck puna punk pupe put putt puy pyrex pyxide qat quartz quid

rack rad raft raga raïs raki rami rand rani

ranz : *chant des bergers suisses*

rash raya raz réa réal rebab rebec reg rem rémiz reps rets revif rez rhé rhô rhumb ria rial riel riff rift ring rio ris rixe riz rob ros rote rouf

roux ru rush ruz rye saga saï saie saké sanza sar sari sarod sart sati saur sax saxo scat scrub sebka seing self seltz selve sen sené sep set sexy shah shogi show sic sidi sikh sil silex silt sima

six ska skaï ski skif skin skip slow smog soma soue souk soya spahi spath sphex spica spin spitz spot sprat spray stock stuc stud styrax suc sufi sulky sumo suri swazi syzygie tac tael tag taïga talé tan tank

tao taon tau taud taux taxe taxi té teck tee ter têt tex thaï thug thym

tian : *écuelle*

tif tilt tin tipi tofu tong top tore torr tors tory toux trias tric tridi trin trip troll tub tuf tupi

turf tweed tzar ubac

ulve : *algue*

unau upas ure urus us ut uval uvée uzbek vair vals vamp van var vau vaux véda veld veto via vodka volt wad wasp watt wharf whig whist wok won xi xyste yack

yang yard yen yin yod yogi yole yoyo zain zani zée zébu zen zest zêta zig zinc zip zist zloty zob zoé zona zoo zouk zut !

Quantité de mots évidents ont été omis.

QUELQUES MOLÉCULES

Testostérone .... $C_{19}H_{28}O_2$
Amiante .... $CaMg_3(SiO_3)_4$
Aspirine... $CH_3CO_2C_6H_4COOH$
Vitamine A .... $C_{20}H_{29}OH$
Argile .... $H_2Al_2(SiO_4)_2{\cdot}H_2O$
Camphre .... $C_{10}H_{16}O$
Chalcopyrite .... FeS_2
Pierre à chaux .... $CaCO_3$
Nitroglycérine .... $C_3H_5(NO_3)_3$
Caféine .... $C_8H_{10}O_2N_4$
Salpêtre .... KNO_3
Adrénaline .... $C_9H_{13}NO_3$

ÉPONYMES

BUNSEN (bec) .... professeur R.W. Bunsen (1811–1899)
SILHOUETTE .... Étienne de Silhouette (1709–1767)
SADISME ..... Donatien-Alphonse François, marquis de Sade (1740–1814)
MASOCHISME .... Leopold von Sacher-Masoch (1836–1895)
COLT .... Samuel Colt (1769–1852)
POUBELLE .... préfet Eugène-René Poubelle (1831–1907)
BOYCOTT .... capitaine Charles Cunningham Boycott (1814–1862)
BRAILLE .... Louis Braille (1809–1852)
LYNCHAGE .... "juge" Charles Lynch (1736–1796)
MANSARDE .... François Mansard (1598–1666)

PROVERBES MÉTÉOROLOGIQUES

Janvier le fier, froid & frileux,
Février le court & fiévreux,
Mars poudreux, avril pluvieux,
Mai joli, gai & venteux,
Dénotent l'an fertile et plantureux.

Brune matinée, belle journée.

Quand le soleil est joint au vent
On voit en l'air pleuvoir souvent.

L'arc-en-ciel du soir
Fait beau temps paroir.

La veille de la Chandeleur†
L'hiver se passe ou prend vigueur.

Avril le doux,
Quand il se fâche le pire de tous.

S'il pleut le jour Saint-Médard‡
Il pleuvra quarante jours plus tard.

En avril nuée, en mai rosée.

Une hirondelle
ne fait pas le printemps.

Bruine obscure trois jours dure.

Du dimanche au matin la pluie
Bien souvent la semaine ennuie.

À la Saint-Martin§
L'hiver en chemin.

Noël au balcon, Pâques aux tisons.

† *2 février* ‡ *8 juin* § *11 novembre*

LES NEUF MUSES

CLIO *histoire* · MELPOMÈNE *tragédie* · THALIE *comédie*
CALLIOPE *poésie épique* · URANIE *astronomie* · EUTERPE *musique*
TERPSICHORE *danse & poésie lyrique*
POLHYMNIE *pantomime & poésie sacrée* · ERATO *poésie amoureuse*

Les neuf Muses sont les déesses grecques des arts, des sciences, de la culture et de l'inspiration. Elles sont filles de Zeus et de Mnémosyne (la mémoire) et natives de Piérie, au pied du mont Olympe. Durant des siècles, les Muses ont été vénérées et célébrées pour la protection qu'elles apportaient à la musique, au théâtre, aux beaux-arts et à la poésie – rien moins que par Platon, Aristote et Ptolémée I. On nommait *mouseion* les lieux dédiés à la plus grande gloire des Muses, dont dérive notre mot *musée (museum).*

INDICATIONS MUSICALES

A cappella .. sans accompagnement
Adagio .... lentement
Affettuoso .... tendrement
Affrettamente .... avec précipitation
Agitato .... agité
Alla breve .... doubler le tempo
Allargando .... en ralentissant
Allegro .... gai, vif, rapide
Andante .... allant ; modéré
Animato .... animé
Appassionato ..... ardent, passionné
Arpeggiare .... détacher les notes d'un accord
Attaca . enchaîner sans interruption
Col legno ... avec le bois de l'archet
Con anima . avec âme, avec passion
Con bravura .... avec virtuosité
Con brio ..... avec verve & entrain
Con discrezione .... librement
Deciso .... décidé
Dolce .... doux, gracieux
Dolcissimo .... tout doucement
Dolente .... douloureux, plaintif
Energico .... avec énergie
Forte-piano .... fort-doux
Giusto .... bien en mesure
Grave .... lent & solennel
Lacrimoso .... plaintif
Largo .... lent, grave et solennel
Legato .... lié
Leggiero .... légèrement
L'istesso tempo .... même tempo
Lusingando .... en caressant
Ma non troppo .... sans excès
Martellato .... martelé
Morendo . en laissant mourir le son
Nobilmente .... noblement
Parlante .... en déclamant
Piangendo .... plaintivement
Pizzicato ..... en pinçant les cordes
Presto .... vite
Prestissimo ..... le plus vite possible
Rallentando .... en ralentissant
Risvegliato .. de plus en plus animé
Ritardando .... de plus en plus lent
Rubato .. en s'écartant de la mesure
Scherzando .... en badinant
Sforzando, sforzato ...... accent fort
Slargando .... en ralentissant
Spianato .... apaisé
Staccato .... détaché
Tacet .... rester silencieux
Tempo primo .... tempo initial
Vivace .... enjoué, avec vivacité

QUELQUES GAGNANTS DE L'EUROVISION

Année	Pays	Artiste	Chanson
1956	Suisse	Lys Assia (Rosel Shärer)	*Refrain*
1958	France	André Claveau	*Dors, mon amour*
1960	France	Jacqueline Boyer	*Tom Pillibi*
1961	Luxembourg	Jean-Claude Pascal	*Nous les amoureux*
1962	France	Isabelle Aubret	*Un premier amour*
1965	Luxembourg	France Gall	*Poupée de cire, poupée de son*
1966	Autriche	Udo Jürgens	*Merci chérie*
1968	Espagne	Massiel	*Lalala*
1969†	Espagne	Salomé	*Vivo cantando*
1969†	Grande-Bretagne	Lulu	*Boom-Bang-A-Bang*
1969†	Pays-Bas	Lennie Kuhr	*De Troubadour*
1969†	France	Frida Boccara	*Un jour, un enfant*
1971	Monaco	Séverine	*Un banc, un arbre, une rue*
1974	Suède	ABBA	*Waterloo*
1975	Pays-Bas	Teach In	*Ding, Dinge, Dong*
1977	France	Marie Myriam	*L'Oiseau et l'enfant*
1978	Israël	Izhar Cohen & Alphabeta	*Ah-Bah-NeBee*
1979	Israël	Chalav Udvash	*Hallelujah*
1983	Luxembourg	Corinne Hermès	*Si la vie est cadeau*
1984	Luxembourg	Herrey's	*Diggi-Loo-Diggi-Ley*
1985	Norvège	Bobbysocks	*La det swinge*
1986	Belgique	Sandra Kim	*J'aime la vie*
1987	Irlande	Johnny Logan	*Hold Me Now*
1988	Suisse	Céline Dion	*Ne partez pas sans moi*
1990	Italie	Toto Cutugno	*Insieme : 1992*
1991	Suède	Carola	*Fångad av en stormvind*
1992	Irlande	Linda Martin	*Why me ?*
1998	Israël	Dana International	*Diva*
1999	Suède	Charlotte Nilsson	*Take Me To Your Heaven*
2001	Estonie	Tanel Padar & Dave Benton	*Everybody*
2002	Lettonie	Maria N. [Marija Naumova]	*I Wanna*
2003	Turquie	Sertab Erener	*Everyway That I Can*
2004	Ukraine	Ruslana Lyzhicko	*Wild Dances*

† *4 gagnants* ex æquo *en 1969 – année exceptionnelle pour la chanson européenne.*

DRACONIEN

L'adjectif *draconien* vient du nom de DRACON, archonte d'Athènes qui promulgua (en 621 avant notre ère) le code draconien ; ses lois, "écrites avec du sang", punissaient de mort les infractions même les plus légères.

ABRÉVIATIONS POUR LE TRICOT

* *à* *	section à répéter
aig.	aiguille
altern.	alternativement
arr.	arrière
att.	[mailles] en attente
aug.	augmenter/augmentation
aux.	[aiguille] auxiliaire
av.	avant
bord.	bordure
b.	bride
ch.	chaque
chang.	changer/changement
col.	coloris
comm.	commencer
cont.	continuer
croch.	crocheter
crois.	croiser/croisées
derr.	derrière
dev.	devant
diag.	diagonale
dim.	diminuer/diminution
dble	double
dr. *ou* drte	droit, droite
endr.	endroit
env.	envers
fs.	fois
gliss.	glisser/glissée
lis.	lisière
m.	maille
m.c.	maille coulée
m.l.	maille en l'air
m.lis.	maille lisière
m.s.	maille serrée
n. de m.	nombre de mailles
p.	paire
pel.	pelote
pt	point
rab.	rabattre
rel.	relever
répart.	répartir
répét.	répéter
repr.	reprendre
rest.	restantes
rab.	rabattre
rg.	rang
S.S. / S.D.	surjet simple/double
suiv.	suivant(e)
tot.	total(e)
tric.	tricoter
ts, ttes	tous, toutes

ABRACADABRA

Ce mot employé par tant de prestidigitateurs de second ordre est lié à la magie et à la superstition depuis fort longtemps. La première occurrence attestée d'*abracadabra* se trouve dans les *Praecepta de Medicina*, un poème de Q. Severus Sammonicus composé au IIe siècle de notre ère. Lorsqu'il était écrit en triangle, comme ci-contre, et porté autour du cou, on prêtait à *abracadabra* un pouvoir de guérison – peut-être parce qu'y sont répétées les lettres ABRA, initiales des mots hébreux signifiant le Père, le Fils et le Saint-Esprit : *Ab, Ben* & *Ruach Acadosh.*

A B R A C A D A B R A
A B R A C A D A B R
A B R A C A D A B
A B R A C A D A
A B R A C A D
A B R A C A
A B R A C
A B R A
A B R
A B
A

QUELQUES DANOIS CÉLÈBRES

Karen Blixen	*écrivain*	Viggo Mortensen	*comédien*
Carl Th. Dreyer	*réalisateur*	Vilhlem Hammershøi	*peintre*
Niels Bohr	*physicien*	Lars von Trier	*réalisateur*
Tycho Brahé	*astronome*	H.C. Andersen	*écrivain*
Søren Kierkegaard	*philosophe*	Anna Karina	*actrice*

ESPERLUETTE

Certains font remonter l'esperluette au système sténographique inventé par Tiron (Marcus Tullius Tiro), secrétaire de Cicéron, au Ier siècle avant notre ère. Mais la première véritable esperluette n'apparaît que vers l'an 45 ; il s'agit plutôt d'une ligature calligraphique condensant les lettres *e* et *t*. Le nom français de l'esperluette dérive peut-être de *sphærula* : "petite boule". Son nom anglais, *ampersand*, est la contraction de "and, *per se* and" : "*et*, à soi tout seul *et*".

PROFESSEURS LUCASIENS

La prestigieuse *Chaire de Mathématiques* "Lucas" de l'Université de Cambridge doit son nom à Henry Lucas, le parlementaire qui en assura la dotation. À sa mort, en décembre 1663, Lucas léguait des terres devant dégager un revenu annuel de 100 £ destiné à son financement. La chaire reçut l'agrément du roi Charles II en 1664. Voici la liste de ses titulaires :

1664–1669	Isaac Barrow^M^	1826–1828	Sir George Airy^P^
1669–1702	Sir Isaac Newton^P^	1828–1839	Charles Babbage^M^
1702–1710	William Whiston	1839–1849	Joshua King
1711–1739	Nicolas Saunderson^M^	1849–1903	Sir George Stokes^P^
1739–1760	John Colson^M^	1903–1932	Sir Joseph Larmor^V^
1760–1798	Edward Waring^M^	1932–1969	Paul Dirac^M^
1798–1820	Isaac Milner^M^	1969–1980	Sir James Lighthill^V^
1820–1822	Robert Woodhouse^M^	1980–	Stephen Hawking^M^
1822–1826	Thomas Turton	Royal Society : ^P^resident · ^V^ice-President · ^M^embre	

DENTURE ADULTE

Après l'âge de 6 ans environ, les "dents de lait" sont remplacées par 32 dents adultes : 8 incisives · 4 canines · 8 prémolaires 12 molaires (dont 4 "dents de sagesse").

TECHNIQUES HOMICIDES DANS LES "MISS MARPLE"

Le tableau ci-dessous recense les principales techniques d'assassinat employées dans la série des *Miss Marple* d'Agatha Christie (nouvelles non comprises).

arme à feu	brûlures	blessure à la tête	strangulation	chute	poison		
■						*L'Affaire Prothero*	1930
	■	■			■	*Un cadavre dans la bibliothèque*	1942
		■			■	*La Plume empoisonnée*	1943
■			■			*Un meurtre sera commis le...*	1950
■		■				*Jeux de glaces*	1952
			■		■	*Une poignée de seigle*	1953
			■		■	*Le Train de 16 heures 50*	1957
■					■	*Le Miroir se brisa*	1962
					■	*Le Major parlait trop*	1964
■						*À l'hôtel Bertram*	1965
			■	■	■	*Némésis*	1971
			■			*La Dernière Énigme*	1976

CASTRATS

La voix de castrat (obtenue par l'ablation des testicules d'un jeune choriste) était une voix de soprano ou d'alto qui se développait à la mue du garçon. Bien que cette pratique de la castration n'ait jamais été officiellement autorisée par l'Église, elle fut pratiquée en Europe du milieu du XVIe siècle aux années 1870. Parmi les castrats les plus célèbres, il faut citer : SENESINO (*ca.* 1680–1759) ; FARINELLI (1705–1782) ; MANZUOLI (1725–1782) ; et le "dernier castrat", MORESCHI (1858–1922), qui intégra la Chapelle Sixtine en 1883 et en devint le chef de chœur en 1898. Moreschi a réalisé dix-sept enregistrements avant de se retirer en 1913.

QUELQUES PSEUDONYMES D'HENRI BEYLE

Cardinal Alberoni
Awisek
Barladship
Timoléon du Bois
Louis-Alexandre-César Bombet
Ch. Branlebas
Il Cavalier Cardenio della Selva Nera

Casimir
Castor
Alex Clapier
Général Cok
Cornichon
Poco Curante
Chevalier de Cutendre
L'Ennuyé
Don Gruffo Papera

Hummums
Jules-Onuphre Lani
Lovepuff
Pabo
Baron Patauld
Anastase de Serpière
Smith & C°.
Sphinx
Stendhal

COUCHE DE GLACE

Le tableau ci-dessous indique l'épaisseur à partir de laquelle on peut s'aventurer en sécurité (relative, et toute théorique) sur une couche de glace. Marcher sur de la glace est dangereux et stupide ; ne le faites pas.

Charge	*Épaisseur (cm)*
Personne seule à ski	4
Personne seule à pied	6,5
Groupe en file indienne	8
Motoneige	8
Voiture	19
Grosse voiture, petit camion	20,5
camion de 3,5 tonnes	23
7 tonnes	25,5
15 tonnes	40
25 tonnes	51
45 tonnes	63,5
70 tonnes	76

[vaut pour de la glace solide, bleue ou noire]

JARGON DE BISTROT

Cafio, cahoua, jus, petit noir	café
Noisette	espresso avec une goutte de lait
Crème	café au lait mousseux
Déca	café sans caféine
Allongé	café très clair, parfois servi avec un pichet d'eau chaude
Serré	espresso très fort, concentré dans une demi-tasse
Diabolo	limonade & sirop de menthe ou de grenadine
Galopin	petit verre de bière pression
Monaco	bière, limonade & grenadine
Perroquet	anis & sirop de menthe
Vol de nuit	Suze & sirop de menthe
Tango	bière-grenadine
Tomate	anis-grenadine
Cercueil	bière, grenadine, mandarin
Velours	bière brune & champagne
Cardinal *ou* communard	vin rouge-cassis
Blanc gommé	vin blanc & sirop de sucre
Blanc limé	vin blanc-limonade
Tilleul	mélange vin rouge-vin blanc, moitié-moitié
Singe à l'eau	Cinzano
Mêlé-cass	rhum-cassis
Fond de culotte	suze-cassis
Liqueur de canard	eau
Jus de parapluie	eau
Anisette de barbillon	eau
Sirop de grenouille	eau

Certaines de ces appellations sont tombées en désuétude. Renseignez-vous auprès du garçon.

CONFÉDÉRATION HELVÉTIQUE

L'acte fondateur de la confédération suisse est le Serment du Grütli (1291), pacte d'assistance mutuelle conclu entre trois territoires (Schwytz, Uri & Unterwald) soucieux, à la mort de l'empereur germanique Rodolphe Ier de Habsbourg, de protéger les libertés dont ils jouissaient. Les confédérés scellèrent leur alliance sur la prairie du Grütli, au bord du lac aujourd'hui appelé Lac des Quatre Cantons. La Suisse compte à présent 26 cantons :

Zurich	ZH	Soleure	SO	Argovie	AG
Berne	BE	Bâle-Ville	BS	Thurgovie	TG
Lucerne	LU	Bâle-Campagne	BL	Tessin	TI
Uri	UR	Schaffhouse	SH	Vaud	VD
Schwyz	SZ	Apenzell-Rhodes Extérieures	AR	Valais	VS
Obwald	OW	Apenzell-Rhodes Intérieures	AI	Neuchâtel	NE
Nidwald	NW	Saint-Gall	SG	Genève	GE
Glaris	GL	Grisons	GR	Jura	JU
Zoug	ZG				
Fribourg	FR				

[L'Unterwald se partage désormais entre Obwald et Nidwald.]

ANCIENNES DIVISIONS MONÉTAIRES BRITANNIQUES

C'est en 1971 que le Royaume-Uni a adopté pour sa monnaie le principe de la division décimale : £1 = 100 p, une livre sterling égale 100 pence. Auparavant, les subdivisions de la livre étaient autrement plus complexes :

1 guinée	1gn · 1g · £1 1*s* 0*d*	21 shillings
1 livre	£1 · £1 0*s* 0*d*	20 shillings
1 shilling	1s · 1*s* 0*d* · 1/–	12 pence
1 penny	1*d*	2 demi-penny
1 demi-penny	½*d*	2 farthings
1 farthing	¼*d* · far. · f.	

GREENELAND

Le terme "Greeneland" a été forgé par le critique Arthur Calder-Marshall pour évoquer l'univers bizarre, décadent, minable et renfermé des romans de Graham Greene – en particulier ceux qui se situent dans un de ces territoires que le romancier affectionne particulièrement : *La Saison des pluies* (Zaïre) ; *Les Comédiens* (Haïti) ; *Voyage sans cartes* (Libéria) ; *Rocher de Brighton* (bas-fonds de Brighton) ; *Notre agent à la Havane* (Cuba).

LES METS D'ANATOLE

Dans les romans de P.G. Wodehouse, Anatole est le célèbre chef français de Brinkley Court, où résident Tom et Dahlia Travers – l'oncle et la tante préférés de Bertie Wooster. Les créations gastronomiques d'Anatole sont légendaires ; bien souvent, c'est la seule crainte de n'y plus jamais goûter qui soumet Bertie aux volontés de tante Dahlia et l'incite à lui apporter son concours dans telle ou telle entreprise délictueuse. Voici quelques-uns de ces plats mémorables, dispersés dans les volumes de la série des *Jeeves* :

Velouté aux fleurs de courgette · *Sylphides à la crème d'écrevisses*
Mignonette de poulet petit duc · *Neige aux perles des Alpes*
Timbale de ris de veau toulousaine · *Pointes d'asperges à la Mistinguett*
Nonnettes de poulet Agnès Sorel · *Selle d'agneau aux laitues à la grecque*
Diablotins · *Caviar frais* · *Bénédictins blancs*

LES MÉTAUX DE L'ALCHIMIE

L'alchimie est la transmutation d'éléments vils en métaux précieux tels que l'argent et l'or – un processus qui a fasciné les philosophes, les savants et les astrologues à de nombreuses époques et dans de nombreuses civilisations. La liste qui suit énumère les différents métaux qui participent de cette quête restée vaine (jusqu'à ce jour du moins), avec les planètes et les divinités antiques qui leur sont communément associées :

OR *Apollon, le Soleil* · ARGENT *Diane, la Lune*
ÉTAIN *Jupiter* · VIF-ARGENT *Mercure*
CUIVRE *Vénus* · FER *Mars* · PLOMB *Saturne*

CARACTÉRISTIQUES DES LETTRES

Sans ligne courbe........................A·E·F·H·I·K·L·M·N·T·V·W·X·Y·Z
Sans ligne droite........................C·O·S
Sans surface enclose........................C·E·F·G·H·I·J·K·L·M·N·S·T·U·V·W·X·Y·Z
Symétriques horizontalement........................B·C·D·E·H·I·K·O·X·
Symétriques verticalement........................A·H·I·M·O·T·U·V·W·X·Y
Chiffres romains........................C·D·I·L·M·V·X
Seulement des points en Morse........................E·H·I·S
Seulement des traits en Morse........................M·O·T
Symétriques horizontalement & verticalement........................H·I·O·X
Identiques si on les retourne........................H·I·N·O·S·X·Z
Que l'on peut tracer d'un seul trait..B·C·D·G·I·J·L·M·N·O·P·R·S·U·V·W·Z
Majuscules et minuscules identiques........................C·O·P·S·U·V·W·X·Z

"SESQUIPÈDE"

On présente généralement comme le mot le plus long de la langue anglaise (1 185 lettres) le nom du virus de la mosaïque du tabac, souche *dahlemense* :

Acetylseryltyrosylsery
lisoleucylthreonylserylprolylserylg
lutaminylphenylalanylvalylphenylalanylle
ucylserylserylvalyltryptophylalanylaspartylprolyl
isoleucylglutamylleucylleucylasparaginylvalylcysteinyl
threonylserylserylleucylglycylasparaginylglutaminylphenyl
alanylglutaminylthreonylglutaminylglutaminylalanylarginy
lthreonylthreonylglutaminylvalylglutaminylglutaminylphenyla
lanylserylglutaminylvalyltryptophyllysylprolylphenylalanylprolylg
lutaminylserylthreonylvalylarginylphenylalanylprolylglycylasparty
lvalyltyrosyllysylvalyltyrosylarginyltyrosylasparaginylalanylvalylleu
cylaspartylprolylleucylisoleucylthreonylalanylleucylleucylglycylthreo
nylphenylalanylaspartylthreonylarginylasparaginylarginylisoleucyli
soleucylglutamylvalylglutamylasparaginylglutaminylglutaminylse
rylprolylthreonylthreonylalanylglutamylthreonylleucylaspartylal
anylthreonylarginylarginylvalylaspartylaspartylalanylthreonyl
valylalanylisoleucylarginylserylalanylasparaginylisoleucylas
paraginylleucylvalylasparaginylglutamylleucylvalylargin
ylglycylthreonylglycylleucyltyrosylasparaginylglutam
inylasparaginylthreonylphenylalanylglutamyls
erylmethionylserylglycylleucylvalyltrypt
ophylthreonylserylalanylprolyl
alanylserine

Dans son absurdité, il laisse loin derrière lui d'autres mots tels que :

Pneumonoultramicroscopicsilicovolcanoconiosis
une affection causée par l'inhalation de fines particules

Antitransubstantiationalist
quelqu'un qui met en doute l'efficace de la transsubstantiation

Floccinaucinihilipilification
le fait d'estimer qu'une chose est dénuée de toute valeur

– et bien plus loin encore *anticonstitutionnellement* (25 lettres), donné pour être le mot le plus long de la langue française. L'anglais dispose d'un adjectif remarquable pour les qualifier : *sesquipedalian*, dérivé du latin *sesquipedalis*, forgé (dit-on) par Horace pour décrire des mots qui comptent tant de syllabes que l'on dirait qu'ils ont "un pied et demi de long".

QUELQUES NOMBRES

3 C'est selon Pythagore le nombre parfait, symbole de la divinité. Il y a 3 Parques, 3 Gorgones, 3 Harpies, 3 Furies, 3 Grâces et 3 Heures dans la mythologie classique. Les 3 couleurs primaires sont le rouge, le jaune et le bleu. Dans la légende de saint Nicolas, il était 3 petits enfants qui s'en allaient glaner aux champs. Le nombre 3 est bien sûr au principe de la Sainte Trinité : le Père, le Fils et le Saint-Esprit. Les trois saints patrons de l'Irlande sont saint Patrick, saint Colomban et sainte Brigitte.

4 Les 4 libertés de Roosevelt sont les libertés d'expression et de culte, les libertés de vivre à l'abri du besoin et de la peur (discours du 6 janvier 1941). L'impression en quadrichromie est réalisée en 4 passages avec les couleurs suivantes : cyan, magenta, jaune & noir pur (CMJN ou CMYK en anglais). Les 4 temps du moteur à explosion sont l'admission du carburant, la compression, l'explosion et l'échappement. Aux États-Unis, on nomme "les 4 coins" l'unique intersection (37°N 109°W) où convergent les frontières de 4 États. Les 3 mousquetaires étaient 4.

5 Signe de protection pour les Mayas, nombre porte-chance dans la tradition musulmane, 5 est aussi le symbole chinois du centre. Le "Club des 5" d'Enid Blyton se compose de Claudine (dite Claude), François, Mick, Annie et du chien Dagobert.

9 Il y aurait 9 fleuves infernaux (l'Enfer de Dante compte d'ailleurs 9 cercles), 9 ordres angéliques, 9 muses, 9 mondes dans la mythologie nordique, 9 dieux étrusques et 9 dieux sabins ; Milton, dans les *Arcades*, évoque les 9 sphères encloses l'une dans l'autre. Les chats ont 9 vies, et 9 queues quand il s'agit de fouets. Il y a 9 acides aminés essentiels. La gestation humaine dure environ 9 mois, comme celle du bison et de certains rennes. Il y avait 9 archontes à Athènes.

11 Daniel Lambert était si gros que 11 hommes purent se serrer dans un seul de ses gilets : cela se passait en 1841. Les philosophes péripatéticiens (*ca.* 300 avant notre ère) croyaient que l'univers était constitué de 11 sphères emboîtées les unes dans les autres comme des poupées russes.

13 Un nombre associé à la malchance dans de nombreuses cultures – tout particulièrement lors d'un dîner. Cette superstition est liée au nombre de convives présents lors de la Cène, le dernier repas du Christ ; dans la mythologie scandinave, il y avait également 13 dieux au banquet du Walhalla où Baldur trouva la mort. Pour conjurer le mauvais sort, on recourt parfois à un 14ᵉ convive en effigie, comme à l'Hôtel Savoy de Londres où il s'agit d'un chat en bois sculpté dans le style Art Déco nommé Kaspar.

QUELQUES NOMBRES (suite)

Il y a eu 13 papes nommés Léon et 13 papes nommés Innocent. La peur maladive du nombre 13 (et en particulier des vendredi 13) s'appelle la triskaïdékaphobie. Le 13e chapitre de l'Apocalypse est celui où est évoquée la Bête. Dans la tradition juive, 13 ans est l'âge de la bat mitzvah & bar mitzvah. Au bridge il faut 13 plis pour faire un grand chelem. La gamme chromatique compte 13 notes jusqu'à l'octave. La kabbale mentionne 13 esprits malins. Pour les Aztèques, le nombre 13 représentait le temps lui-même : la semaine du calendrier aztèque comptait 13 jours. Jusqu'en 1825, le shilling irlandais valait 13 pence.

17 Dans l'Antiquité, les Grecs attachaient une valeur particulière au nombre 17 du fait que leur alphabet comptait 17 consonnes. Pour les Romains, au contraire, c'était un symbole de malchance : on pouvait en effet réarranger les lettres de XVII pour former l'anagramme VIXI, "j'ai vécu". En 1813, 17 Luddites furent exécutés à York pour avoir détruit des machines. Les haïkus sont des poèmes de 17 syllabes. Ramsès IX a régné pendant 17 ans, comme Joachaz et Réhoboam. Boris Becker a remporté le tournoi de Wimbledon en 1985, âgé de 17 ans seulement. Apollo 17 fut la dernière mission lunaire. Beethoven a écrit 17 quatuors à cordes. La série *Le Prisonnier* ne compte que 17 épisodes.

36 Arcturus, la troisième étoile la plus brillante dans le ciel, se trouve à 36 années-lumière de la Terre. La somme des cubes des trois premiers nombres entiers est égale à 36.

40 L'âge auquel la vie commence (si l'on en croit, du moins, ceux qui approchent de la quarantaine). 40 est un nombre essentiel dans la Bible : Moïse fut appelé sur le Mont Sinaï à 40 ans, et il y resta 40 jours ; Elie fut nourri par des corbeaux pendant 40 jours ; le déluge dura 40 jours & 40 nuits ; Ninive eut 40 jours pour se repentir ; Jésus jeûna 40 jours ; Saül, David et Salomon régnèrent chacun 40 ans ; les enfants d'Israël furent voués à errer 40 ans dans le désert ; Jésus est ressuscité d'entre les morts 40 heures après avoir été mis au tombeau ; et le Carême dure 40 jours. Les Lapithes envoyèrent 40 vaisseaux à la guerre de Troie, et l'Académie française est composée de 40 "Immortels".

99 Selon un proverbe, le génie se compose à 99% de transpiration. Titien vécut jusqu'à l'âge de 99 ans, tout comme Pythagore. C'est en sa 99e année qu'Abraham apprit du Seigneur que Sarah lui donnerait un fils. L'élément radioactif nommé Einsteinium (Es) a 99 pour numéro atomique. La peine maximale pour fraude fiscale dans l'État du Texas est de 99 ans de prison.

MÉTÉO MARINE : ZONES ATLANTIQUE MANCHE & MER DU NORD

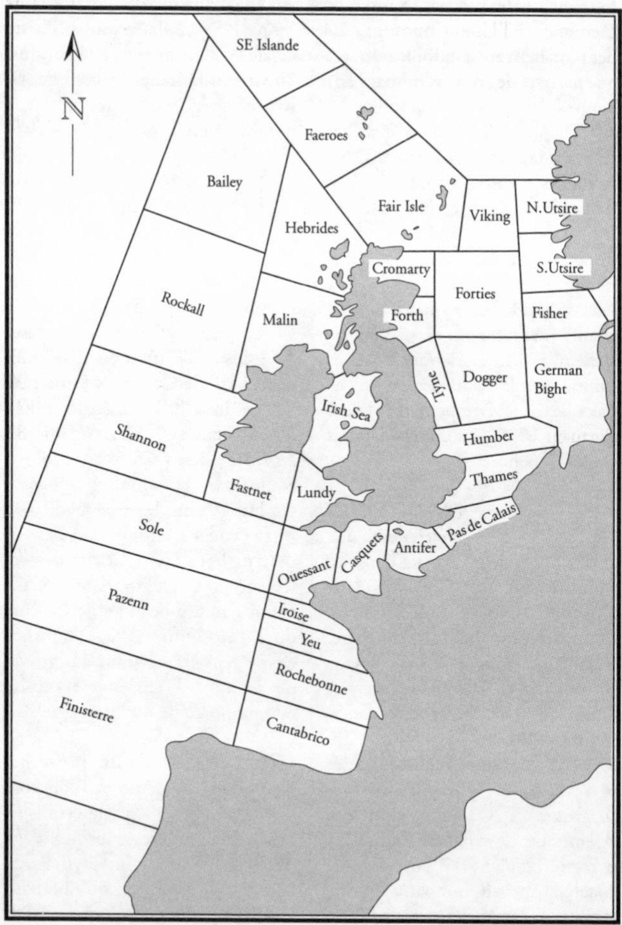

En 2002, les Anglais ont rebaptisé "FitzRoy" la zone correspondant pour les Français à Pazenn et Finisterre. Ce nom lui a été donné en l'honneur du capitaine Robert Fitzroy, directeur du Bureau météorologique britannique à sa création (1854). Fitzroy fut aussi le capitaine de la HMS *Beagle*, le navire à bord duquel Charles Darwin fit le tour du monde en 1831.

LES PAYS DE LA ZONE EURO

Les billets et les pièces en Euro ont été mis en circulation dans douze États membres de l'Union Européenne le 1er janvier 2002. Ci-dessous, la liste des pays de la zone euro, le nom et le code de leur ancienne monnaie, ainsi que les taux de conversion fixés de manière irrévocable au 1er janvier 1999.

PAYS	MONNAIE	CODE	CONVERSION
Allemagne	*Mark*	DEM	1,95583
Autriche	*Schilling*	ATS	13,7603
Belgique	*Franc*	BEF	40,3399
Espagne	*Peseta*	ESP	166,386
Grèce	*Drachme*	GRD	340,750
Finlande	*Mark [Markka]*	FIM	5,94573
France	*Franc*	FRF	6,55957
Irlande	*Livre [Punt]*	IEP	0,787564
Italie	*Lire*	ITL	1936,27
Luxembourg	*Franc*	LUF	40,3399
Pays-Bas	*Florin [Gulden]*	NLG	2,20371
Portugal	*Escudo*	PTE	200,482

COUP DE DÉS & HASARD

résultat	*combinaisons possibles*	*probabilités*
12	⚅⚅	35 *contre* 1
11	⚄⚅ ⚅⚄	17/1
10	⚃⚅ ⚄⚄ ⚅⚃	11/1
9	⚂⚅ ⚅⚂ ⚃⚄ ⚄⚃	8/1
8	⚁⚅ ⚅⚁ ⚃⚃ ⚂⚄ ⚄⚂	31/5
7	⚀⚅ ⚅⚀ ⚁⚄ ⚄⚁ ⚃⚂ ⚂⚃	5/1
6	⚀⚄ ⚄⚀ ⚂⚂ ⚁⚃ ⚃⚁	31/5
5	⚀⚃ ⚃⚀ ⚁⚂ ⚂⚁	8/1
4	⚀⚂ ⚁⚁ ⚂⚀	11/1
3	⚀⚁ ⚁⚀	17/1
2	⚀⚀	35/1

1/299 792 458

Depuis 1983, le *mètre* est défini internationalement comme la distance parcourue par la lumière dans un intervalle d'1/299 792 458e de seconde. Précision essentielle : la *seconde* est elle-même définie comme la durée de 9 192 631 770 périodes de la radiation correspondant à la transition entre les deux niveaux hyperfins de l'état fondamental de l'atome de césium 133.

TERMINOLOGIE BONSAÏ

QUELQUES STYLES		TAILLES	
CHOKKAN	droit formel	MAME	< 7 cm
MOYOGI	droit informel	SHOHIN	7–20 cm
KENGAI	en cascade	KIFU	20–40 cm
ISHI SEKI	planté sur une roche	CHU	40–60 cm
HOKIDACHI	en balai	DAI	> 60 cm
SABAMIKI	tronc double		
KABUDACHI	troncs multiples		

[D'après les définitions de la 20ᵉ exposition de bonsaïs Nippon Bonsai Taikan-ten.]

LES XII CÉSARS

César · Auguste · Tibère · Caligula · Claude · Néron
Galba · Othon · Vitellius · Vespasien · Titus · Domitien

LE BIG MAC

Les ingrédients du Big Mac de McDonald's sont les suivants : *2 steaks hachés de bœuf* – Viande hachée 100% pur bœuf. Pas d'additifs, d'agents de remplissage, de liants, de conservateurs ni d'exhausteurs de goût. *Pain spécial Big Mac* – Farine de blé, eau, sucre, huile de soja, levure, sel. Émulsifiant : E472(e) esters mono- et diacétyltartriques des mono- et diglycérides d'acides gras. Graines de sésame, farine de soja. Agent de traitement de la farine : E300 acide ascorbique. *Sauce Big Mac* – Huile de soja, eau, vinaigre d'alcool, cornichons, sirop de glucose-fructose de maïs et/ou de blé, jaune d'œuf, sucre, amidon modifié de maïs, graine de moutarde, sel, épices, arôme naturel. Épaississant : E415 gomme xanthane. *Fromage fondu* – Cheddar, eau, beurre, protéines de lait de vache, arôme naturel de fromage (enzyme modifiée de fromage). Émulsifiants : E331 citrates de sodium. Lactose, sel. Conservateur : E200 acide sorbique. Colorants : E160(a) carotènes, E160(c) paprika. Lécithine, huile de soja, E330 acide citrique. *Ou* Cheddar, beurre, poudre de lait écrémé, caséine, arôme naturel, lactose, sel, eau, lécithine. Émulsifiants : E331 & E452 polyphosphates. Colorants : E160a & E160e. *Salade* – 100% laitue Iceberg fraîche, chlore. *Rondelles de cornichon* – Cornichon, vinaigre d'alcool, sel, arôme naturel. Conservateur : E211 benzoate de sodium. Correcteur d'acidité : E327 lactate de calcium. *Oignons* – 100% oignons déshydratés.

Un Big Mac contient :			
Énergie	2045 Kjoules *ou* 492 Kcalories	Protides	26,2 g
Glucides	38,9 g	Lipides	25,8 g
		Fibres	4,2 g
		Sodium	0,9 g

DÎNER À BORD DU TITANIC

MENU PREMIÈRE CLASSE · 14 AVRIL 1912

Hors d'œuvre · Huîtres

Consommé Olga · Crème d'Orge

Saumon Poché avec Sauce Mousseline · Concombres

Filet Mignon Lili · Sauté de Poulet à la Lyonnaise · Courgettes farcies

Agneau & Sauce à la Menthe · Caneton Rôti à la Sauce aux Pommes
Aloyau de Bœuf · Pommes de Terre Château
Petits Pois · Carottes à la Crème · Riz · Pommes de Terre Parmentier
& Pommes de Terre Nouvelles Bouillies

Punch à la Romaine

Pigeonneau Rôti & Cresson

Asperges Vinaigrette

Pâté de Foie Gras · Céleri

Gâteau Waldorf · Pêches en Gelée de Chartreuse
Éclairs au Chocolat & à la Vanille · Glace française

PROVISIONS EMBARQUÉES À BORD DU TITANIC

Asperges fraîches	800 bottes
Beurre frais	2 720 kg
Café	1 000 kg
Citrons	50 caisses (16 000)
Confitures, marmelades	500 kg
Crème fraîche	1 365 l
Farine	200 barils
Glace	2 000 l
Jambon, bacon	3 400 kg
Lait frais	6 820 l
Œufs frais	40 000
Oignons	1 590 kg
Oranges	80 caisses (36 000)
Pamplemousses	50 caisses
Petits pois frais	1 020 kg
Poisson frais	4 990 kg
Pommes de terre	40 tonnes
Ris de veau ou d'agneau	1 000
Riz, haricots secs, &c.	4 535 kg
Salade	7 000 pieds
Saucisses	1 135 kg
Poisson salé & séché	1 815 kg
Sucre	4 535 kg
Thé	365 kg
Viande fraîche	34 020 kg
Volaille et gibier	11 340 kg
Cigares	8 000
Vaisselle	57 600 pièces
Couverts	44 000 pièces
Verrerie	29 000 pièces
Bières	20 000 bouteilles
Eaux minérales	15 000 bouteilles
Vins	1 500 bouteilles
Spiritueux	850 bouteilles

POKER & PROBABILITÉS

possibilités	*main*	*probabilités*
1 098 240	une paire	35 *contre* 24
123 552	deux paires	20 *contre* 1
54 912	brelan	46 *contre* 1
10 200	quinte	254 *contre* 1
5 108	couleur	508 *contre* 1
3 744	full	693 *contre* 1
624	carré	4 164 *contre* 1
36	flush ordinaire	72 192 *contre* 1
4	flush royal	649 739 *contre* 1

BRAILLE

C'est à l'âge de quatre ans, à la suite d'un accident dans l'atelier de son père, que Louis Braille (1809–1852) devint aveugle. Quelque sept ans plus tard il fit la rencontre de Charles Barbier de la Serre, un officier de cavalerie qui avait mis au point un code d'écriture en relief pour transmettre des messages la nuit. Comprenant l'intérêt potentiel de ce système pour la communication avec les aveugles, Braille en conçut une version simplifiée :

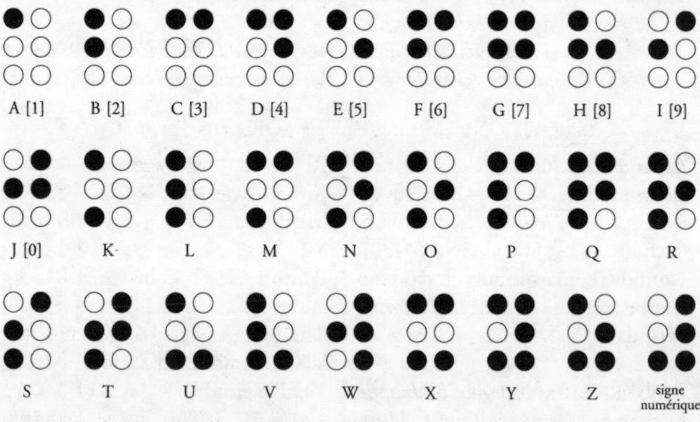

Le signe numérique indique que les lettres A–J sont utilisées comme chiffres.

L'écriture Braille se fonde sur ces cellules de 3 points sur 2 ; d'autres cellules existent pour la ponctuation, les abréviations, etc. Un siècle et demi après la mort de Braille, l'alphabet qu'il a conçu est adapté à presque toutes les langues et utilisé sur la terre entière. En hommage à cette exceptionnelle invention, les cendres de Braille ont été transférées au Panthéon en 1952.

—QUELQUES MOTS VENUS D'AUTRES LANGUES—

ARABE · Perdu dans ses rêves de *harems,* étendu sur un *sofa* dans l'*alcôve,* l'*amiral* devrait redouter les *assassins* au lieu de chercher du réconfort dans l'*alchimie* de l'*alcool.*

PORTUGAIS · Toutes ces *palabres* parce que l'*albatros albinos* déteste la *marmelade* !

JAPONAIS · Il n'y a qu'un *mikado* pour manger des *sushis* allongé sur un *futon* à côté d'une *geisha* tout en pariant sur un match de *sumô.*

ESQUIMAU (INUIT) · Mon *anorak* n'est pas assez chaud pour une expédition en *kayak* jusqu'à l'*iglou.* Passe-moi plutôt une *parka.*

PERSAN · On trouve de tout dans ce *bazar* : j'y ai acheté des *lilas,* du *jasmin,* et aussi des *babouches azur* assorties à mon *châle* en *taffetas.*

ALLEMAND · Ce *chenapan* a caché un *hamster* dans la *choucroute* d'un *bourgmestre huguenot.* Qu'il est *espiègle,* le *loustic* !

NORVÉGIEN · Ça n'était pas une bonne idée de laisser le *lemming skier* dans le *slalom...*

SANSKRIT/TAMOUL · Le *brahmane* et son *gourou* récitaient leurs *mantras* et touchaient presque au *nirvana* lorsqu'un *paria* a troublé leur *karma* en renversant du *patchouli* sur le rideau de *chintz.*

TCHÈQUE · Vite, un lance-*obus* ! Le *robot* s'est emparé d'un *pistolet* !

HONGROIS · *Cocher,* donnez-moi mon *sabre* ! Le *hussard* a gâté mon *goulache* en forçant sur le *paprika.*

HÉBREU · Quel *tohu-bohu* ! Le petit *chérubin* doit *jubiler* d'avoir semé une pareille *zizanie.*

NÉERLANDAIS · Le *flibustier* s'est fait *gruger* : tandis qu'il allait voir dans la *cambuse* attiré par le *vacarme,* les *matelots* ont jeté tout le *lest* du navire *en vrac* sur la *dune.*

TURC · Oh, *effendi,* comme je suis confus d'avoir taché votre *divan turquoise* avec du *yaourt,* du *sorbet* et du *café.*

ISLANDAIS · Toute une *saga* à propos d'un *geyser* ?

ESPAGNOL · L'*hidalgo hâbleur* a dû écourter son *médianoche* : une *noria* de *moustiques* dévorait sa *dulcinée* dans le soir *indigo.*

ANGLAIS · Il faut vraiment être un *snob* ou un *dandy* pour aller jouer au *croquet* sur le *boulingrin* vêtu d'une *redingote* en *casimir.*

GAÉLIQUE · Quel *slogan* pourrait lancer la mode du *plaid* ?

AZTÈQUE · Non, je ne mangerai pas d'*avocat* aux *cacahuètes,* ni de *tomate* au *chocolat.* Tu n'as qu'à donner tout ça au *coyote.*

RUSSE · Un *oukase* du *tsar* ordonne qu'on envoie un *samovar* de *vodka* au joueur de *balalaïka.*

BOUFFONS DE COUR

Dans son *Histoire des Fous de Cour* (1858), le Dr. John Doran donne une recension exhaustive des fous (officiels et officieux) et des bouffons de cour à travers les âges. La liste qui suit n'en mentionne que quelques-uns :

ADELSBURN .... Bouffon de George Ier d'Angleterre
LE "CARDINAL" SOGLIA .... Bouffon du Pape Grégoire XVI
WILL SOMERS .... Bouffon d'Henry VIII d'Angleterre à Hampton Court
ABGELY .... Fou de Louis XIV, dernier fou officiel à la cour de France
ROSEN .... Fou de l'Empereur Maximilien Ier
BERDIC .... *Joculacator* de Guillaume le Conquérant
COLQUHOUN .... Bouffon à la cour de Mary, Reine d'Écosse
LONGELY .... Bouffon de Louis XIII
PATCHE............ Bouffon du Cardinal Wolsey, présenté à Henry VIII
DA'GONET .... Bouffon du Roi Arthur, qui le fit chevalier
PATISON................................. Bouffon de Sir Thomas More
MERRY ANDREW. Andrew Borde, médecin d'Henry VIII & fou officieux
YORICK.............................. Bouffon à la cour de Danemark
AKSAKOFF .... Fou de la Tsarine Elisabeth de Russie

"Mieux vaut un fol plein d'esprit qu'un bel esprit plein de folie"
— QUINAPALUS

PARADOXES D'OSCAR WILDE

De nos jours, tous les hommes mariés vivent comme des célibataires et tous les célibataires comme des hommes mariés.

Je peux résister à tout, sauf à la tentation.

Il n'y a que ce qui est moderne qui finisse par se démoder.

Il n'est rien de plus beau que d'oublier, excepté, sans doute, être oublié.

Je peux croire à n'importe quoi du moment que c'est incroyable.

J'adore le théâtre. C'est tellement plus réel que la vie.

Les femmes finissent toujours par devenir comme leur mère. C'est leur drame. Jamais les hommes. C'est le leur.

Le moyen de se débarrasser d'une tentation, c'est d'y céder.

Nous vivons à une époque où le superflu est notre nécessité.

Le scepticisme est le commencement de la foi.

On ne saurait être trop soigneux dans le choix de ses ennemis.

Une seule chose au monde est pire que de savoir qu'on parle de vous : c'est de savoir qu'on ne parle pas de vous.

QUELQUES BELGES CÉLÈBRES

Leo Baekeland .... *inventeur de la bakélite*	Roland de Lassus .... *musicien*
Jules Bordet .... *biologiste*	René Magritte .... *peintre*
Jacques Brel .... *chanteur*	Eddy Merckx .... *cycliste*
Pieter Breughel .... *peintre*	Christophe Plantin ..... *typographe*
Paul Delvaux .... *peintre*	Plastic Bertrand .... *chanteur*
Lamoral Egmont. *homme de guerre*	Georges Remi... *créateur de Tintin*
James Ensor .... *peintre*	Pierre Paul Rubens .... *peintre*
Audrey Hepburn .... *actrice*	Adolphe Sax. *créateur du saxophone*
Cornelius Jansen .... *théologien*	Georges Simenon .... *écrivain*
	Jean-Claude Van Damme... *acteur*

CAFÉINE

La caféine est probablement la drogue psychoactive la plus consommée dans le monde. Alcaloïde naturel dérivé de la purine, la caféine se dissout facilement dans l'eau chaude ; son point de fusion se situe à 235°C. 150 ml de café peuvent contenir de 30 à 180 mg de caféine – selon qu'il est plus ou moins fort ; 360 ml de cola en contiennent entre 30 et 60 mg.

O
CH_3
H_3C
N
N
N
O
N
CH_3

CRI DE GUERRE DE QUELQUES CLANS ÉCOSSAIS

Clan	*Cri de guerre*
BUCHANAN	*Clar Innis*
CAMERON	*Chlanna nan con thigibh a so 'gheibh sibh feòil*†
SUTHERLAND	*Ceann na Drochaide Bige*
MACDONALD OF CLANRANALD	*Dh' aindeòin co theireadh e*
COLQUHOUN	*Cnoc Ealachain*
DOUGLAS FAMILY	*A Douglas ! A Douglas !*
MACGREGOR	*Ard Choille*
FARQUHARSON	*Càrn na cuimhne*
MENZIES	*Geal is Dearg a suas*
FERGUSON	*Clannfearghuis gu brath*
FORBES	*Lònach*

† Traduction : *Fils de chiens, venez ici, vous aurez de la chair*

— LES MAXIMES DE CUISINE DE Mrs. BEETON —

Dans sa *Cuisine de tous les jours,* Isabella Beeton (1837–65) donne sa liste de maximes culinaires : elle affirme que "la cuisinière novice qui les apprendra par cœur aura sous la main les vérités fondamentales de l'art de la cuisine".

On ne travaille jamais si bien que lorsqu'on s'y met de bonne heure.

Être bien organisée, c'est s'avancer.

Rangez au fur et à mesure. Le désordre engendre le désordre.

Ne pas laver tout de suite les plats et les assiettes donne davantage de travail.

Pour laver de la vaisselle grasse, ne lésinez ni sur le savon ni sur l'eau chaude.

Les casseroles sales commencent à se laver toutes seules pour peu qu'on les remplisse d'eau chaude.

Lavez bien les casseroles, mais nettoyez la poêle à frire avec un morceau de pain.

Ne plongez jamais les manches de couteau [en os] dans l'eau chaude.

Si un couteau sent l'oignon, enfoncez-le dans la terre pour faire partir l'odeur.

Cherchez les insectes dans la salade *avant* de la mettre à tremper.

Faites bouillir les légumes verts à feu vif et à découvert.

Enfournez toujours le rôti dans un four chaud.

Quand la pâtisserie sort du four, la viande peut y entrer.

Le poisson au court-bouillon doit cuire doucement, avec un peu de vinaigre.

Une cuillerée de vinaigre aide à pocher les œufs.

L'eau bout à gros bouillons, l'huile sans se troubler.

Ragoût bouilli, c'est du gâchis.

Faites fondre une cuillerée de graisse dans la poêle avant d'y mettre le bacon.

Grillez les croûtes de pain qui restent pour faire de la chapelure.

Préparez la sauce à la menthe deux heures avant de la servir.

Quand de l'écume apparaît à la surface du bouillon, retirez-la.

Ne versez pas dans la casserole plus d'eau qu'il n'en faut pour la sauce.

Le sel fait ressortir les arômes.

Quand vous utilisez du ketchup, n'abusez pas du sel.

Un œuf bien battu en vaut deux.

Faites le thé *juste* quand l'eau bout.

FORMATS D'ENVELOPPES

code	format [mm]	convient pour
C6	114 x 162	A6, A5 plié en 2
DL	110 x 220	A4 plié en 3
C6/5	114 x 229	A4 plié en 3
C5	162 x 229	A5, A4 plié en 2
C4	229 x 324	A4

code	format	convient pour
C3	324 x 458	A3
B6	125 x 176	enveloppe C6
B5	176 x 250	enveloppe C5
B4	250 x 353	enveloppe C4
E4	280 x 400	enveloppe B4

RUGBY À XV : TOURNOI DES 6 NATIONS

ANGLETERRE *la rose* · ÉCOSSE *le chardon* · FRANCE *le coq*
PAYS DE GALLES *le poireau* · IRLANDE *le trèfle* · ITALIE *les lauriers*

LE GRAND PANJANDRUM

Le célèbre acteur britannique Charles Macklin (*ca.* 1699–1797) se vantait d'être capable de mémoriser parfaitement n'importe quel texte après l'avoir entendu une seule fois. Pour mettre sa vantardise à l'épreuve, le dramaturge Samuel Foote (1720–1777) composa au hasard des mots ce redoutable petit poème, qui annonce le *nonsense* du siècle suivant :

Aussi s'en fut-elle au jardin
Couper une feuille de chou
Pour en faire une tarte aux pommes ;
Et c'est alors qu'une ourse énorme,
Comme elle descendait la rue,
Passa la tête dans l'échoppe !
Ah bon, pas de savon ? Il en mourut ;
Et elle imprudemment épousa le Barbier.
Se trouvaient là présents
Les Picninnies,
Les Joblillies,
Et les Garyulies,
Et le Grand Panjandrum, lui-même,
Coiffé du petit bouton rond ;
Et tous de s'adonner au jeu
D'attrape-moi-comme-tu-peux,
Au point que la poudre à canon
Vint à fuser de leurs talons.

L'histoire ne dit pas si Macklin releva le défi ; certains prétendent qu'il aurait purement et simplement refusé de réciter un seul mot d'une telle ineptie.

CARACTÉRISTIQUES

— LIVRE —

Papier................Pigna “Cambridge”, 90 g/m² & 120 g/m² (jaquette)
Plaques d’impression....................................Kodak DTPI Gold
Presse..Komori Lithrone S40P
Encre..Sun Chemical
Pliage & couture..................................MBO & MT Multiplex SA
Massicotage...Wollemberg
Reliure...VBF
Signet...Politi 6 mm

— COMPOSITION —

Texte.............*Adobe Garamond*
Corps du texte..............8,5 pt
Interligne...................9,51 pt
Titres.......*Old Style Bold Outline*
Corps des titres................8 pt
Petites capitales..............85%
Corps des mentions légales...7 pt
Folios (numéros de page).....8 pt

Pointillés.........................6 pt
Filets.............................0,2 pt
Entre les titres & le texte..9,51 pt
Format de page....186 x 115 mm
Proportion de page.........1:1,61
Nombre d’or...................1:1,61
Marge inférieure............20 mm
Autres marges...............15 mm

— HISTOIRE DES CARACTÈRES —

Les caractères *Adobe Garamond* ont été dessinés par Robert Slimbach, et édités par Adobe Systems Inc. en 1989. Ils s’inspirent des dessins et des poinçons originaux de l’éditeur, imprimeur et typographe français Claude Garamond (*ca.* 1490–1561). Garamond était réticent à associer romains et italiques, aussi les italiques de l’*Adobe Garamond* s’inspirent-ils de fontes de Robert Granjon (*ca.* 1513–1590). Il existe de nombreuses réinterprétations modernes du *Garamond* ; la version de Slimbach pour Adobe est peut-être la plus élégante, la plus universelle, et la plus agréable à l’œil.

On ignore qui a dessiné les caractères *Monotype Old Style Bold Outline*, également édités par Adobe. Il semble toutefois que les fontes Old Style remontent aux années 1860 ; certains les attribuent à Alexander Phemister (*ca.* 1829–1894), employé par la fonderie Miller & Richard à Édimbourg. Les Old Style marquaient une rupture par rapport au dessin traditionnel des caractères Caslon : ils s’en démarquent par des ascendantes et descendantes plus courtes, et par des empattements plus simples & plus élégants.

— DIVERS —

Nombre de mentions de “Gringalet”...............4 (celle-ci comprise)
Coup de chapeau à...Dave Eggers
Salle de lecture favorite à la British Library................Humanities 2
Nombre de mots...45 620

FLUCTUATIONS & CONTESTATIONS

Les recherches effectuées pour composer ce livre ont révélé combien peuvent être flottantes des informations que l'on croirait factuelles et parfaitement établies. La liste qui suit n'indique qu'une part infime de la multitude de variations, contradictions, controverses & inexactitudes éventuelles qui sont apparues dans les nombreuses sources consultées.

[*La lettre qui suit le numéro de page précise quel article de ladite page est concerné.*]

11c .. La longueur de lacet peut varier en fonction du style de chaussures.
12a.... Certaines sources donnent aussi Hoover et Reagan pour gauchers.
12c ... Variante du 4ᵉ & dernier vers d'*Am stram gram* : "Mi stram gram".
18b .... La date d'ouverture n'est pas toujours celle de la ligne entière.
19..... Les *James Bond* non officiels comme *Jamais plus jamais* sont omis.
21b ... On trouve aussi parfois *des clins d'yeux, des grand'mères, des tic-tacs.*
24a... Définition et mise en œuvre du vote obligatoire sont très variables.
31.. Première régate : 10 juin 1829. Il y a bel et bien eu 2 régates en 1849.
39c........ Graphies & numérotation reproduisent celles d'un jeu ancien.
41b ..... À la ligne 9 de la citation, "la reste" est bien le texte de Rabelais.
42b .... L'altitude des couches est approximative, et varie selon le lieu.
43b.. On parle parfois de 7 ou de 9 plaies ; il y en a 10 dans *Exode,* 7–11.
49b . *Baker Street Irregulars,* parfois traduit "les Irréguliers de Baker Street".
51.. Variantes déterminées par le sexe, le niveau de langue, la phonétique.
54b .... Dénominations variables : certains appelaient *Baffy* un *Spoon.*
59a...... Le tracé de quelques haies & culs-de-sac a changé avec le temps.
61a..... Jules Verne écrit aussi MOBILIS IN MOBILI (forme plus correcte).
62a...... Il existe nombre de variantes de cette hiérarchie et de ses degrés.
67a.................... On rencontre également l'orthographe "Érynnies".
69a .... Ces signes ne sont pas universels ; plusieurs variantes existent.
70b ..... Certains ajoutent à la liste "la voleuse", pour cacher un bouton.
79 .... Le *Code irlandais du duel* est souvent daté de 1877 – à tort.
80 .... Les noms de lignées varient ; le statut de Jane Grey est discuté.
83a.. La liste poétique a peut-être été inventée en Chine par Li Shangyin.
85b.. La capacité nucléaire d'Israël n'a jamais été officiellement reconnue.
87c . Certains font de ces gaz le groupe 18 ou VIIIa du tableau périodique.
88..... La liste varie selon les sources, comme l'attribution des sentences.
92c .... Il existe des variantes pour presque tous les formats.
103 .... La perche *de Paris* équivalait à seulement 18 pieds.
107 .. Quelques localisations (par ex. le Phlégéthon) sont hypothétiques.
120a .... Pluton, planète naine, est sortie de cette liste en août 2006.
131a .... Les attributions des Muses varient selon les sources.
147 .... Certaines étymologies sont incertaines ou discutées.
149a........ "Belge" s'entend ici au sens large, sans restriction historique.

Corrections & suggestions peuvent être adressées à misc@editionsallia.com.

INDEX

"J'ai proposé de déposer au Parlement un projet de loi visant à priver de la protection du copyright tout auteur qui publierait un livre dépourvu d'index, et qui plus est de le condamner à une amende pour ce délit."

— LORD JOHN CAMPBELL

007 – BOUFFONS DE COUR

BOUTEILLES – ENCYCLOPÉDIE CHINOISE

ENFER DE DANTE – LINNÉ

LISTES DE SEI SHÔNAGON – PSYCHÉ

PUISSANCES NUCLÉAIRES – ZUGZWANG